DANS LA MÊME COLLECTION

Dr Léon Bence et Max Méreaux : **Guide pratique de musicothérapie.**

Dr Claude Binet : **Traitements de 130 affections courantes.**

Louis de Brouwer : **L'Art de rester jeune.**

Daniel Chernet : **Les Protéines végétales.**

Jean-Luc Darrigol : **Le Miel pour votre santé.**

Jean-Luc Darrigol : **Les Céréales pour votre santé.**

Jean-Luc Darrigol : **Traitements naturels de la constipation.**

Dr Louis Donnet : **Les Aimants pour votre santé.**

Gérard Edde : **Manuel pratique de digitopuncture.**

Gérard Edde : **Les Couleurs pour votre santé.**

Gérard Edde : **Ginseng et plantes toniques.**

Gérard Edde : **La Médecine ayur-védique.**

Georges Faure : **Les Métaux pour votre santé.**

Georges Faure : **Les Relaxations sensorielles.**

Louis Faurobert : **Vos enfants en pleine forme !**

Louis Faurobert : **En forme après 60 ans.**

Pierre Fluchaire : **Bien dormir pour mieux vivre.**

Henri-Charles Geffroy : **L'Alimentation saine.**

Vincent Gerbe : **Votre potager biologique.**

Vincent Gerbe : **Initiation au végétarisme.**

Drs Gérard Katz et Alain Maurin : **Santé et thermalisme.**

Jean-Pierre Krasensky : **Massage réflexe des pieds.**

José Lefort : **Traitements naturels de la douleur.**

Dr Jean Léger : **Hygiène et santé des dents.**

Dr René Lacroix : **Savoir respirer pour mieux vivre.**

B. Legrais et G. Altenbach : **Santé et cosmo-tellurisme.**

Dr Francis Lizon : **L'Homéopathie pour le chien, le chat et le cheval.**

Thierry Loussouarn : **Initiation au Yoga.**

Dr J.-C. Marchina : **Santé et beauté de votre peau.**

Désiré Mérien : **Les Clefs de la nutrition.**

Désiré Mérien : **Les Clefs de la revitalisation.**

Désiré Mérien : **Caractère, forme et santé.**

Jacques Mittler : **Introduction à la macrobiotique.**

Dr André Passebecq : **L'Argile pour votre santé.**

Dr André Passebecq : **La Santé de vos yeux.**

Dr André Passebecq : **Traitements naturels des affections respiratoires.**

Dr André Passebecq : **Traitements naturels des affections circulatoires.**

Dr André Passebecq : **Traitements naturels des troubles digestifs.**

Dr André Passebecq : **Rhumatismes et arthrites ; traitements naturels.**

Dr André Passebecq : **Maladies des reins, vessie, prostate.**

Dr André Passebecq : **Maladies des oreilles et surdité.**

Dr Jean-Louis Poupy : **Manuel pratique de moxibustion.**

Martine Rigaudier : **330 Recettes végétariennes.**

Martine Rigaudier : **Recettes et menus végétariens pour les 4 saisons.**

André Roux : **Introduction à l'iridologie.**

Dr J.-E. Ruffier : **Gymnastique quotidienne.**

Dr J.-E. Ruffier : **Traité pratique de massage.**

Alain Saury : **Manuel diététique des fruits et légumes.**

Alain Saury : **Les Huiles végétales d'alimentation.**

Alain Saury : **Les Algues, source de vie.**

Joël Savatofski : **Le Massage douceur.**

Jean de Sillé : **Des plantes pour vous guérir.**

Jean de Sillé : **Des aromates pour vous guérir.**

Nicole Walthert : **La Marche, source de santé.**

Le massage douceur

collection
santé naturelle

L'AUTEUR :

Joël Savatofski, né à Paris en 1947, obtient en 1969, après un baccalauréat scientifique, son diplôme d'État de masseur-kinésithérapeute. Il exerce durant plusieurs années en milieu hospitalier et en cabinet mais, très tôt, l'idée communément admise de l'origine mécanique des maux dont souffrent ses contemporains le rend sceptique. Retour à l'université pour des études de psychologie, sanctionnées par une maîtrise intitulée « les Maux qui soulagent » ; ceci explique cela...

Parallèlement, il s'intéresse à d'autres techniques : réflexologie, relaxation, techniques orientales... et découvre l'apport essentiel des disciplines dites « du potentiel humain » : bio-énergie, gestalt, communication non verbale, danse, théâtre, etc. Il participe au premier groupe Balint de kinésithérapie et se passionne en outre pour tout ce qui touche à l'éducation, à l'enfant, à la communication.

D'abord directeur de centres de vacances, puis créateur et organisateur de séjours, il est, en 1977, cofondateur de « La Brèche », centre expérimental de « vacances différentes pour adolescents et enfants ». Il forme à ses idées bon nombre d'animateurs et d'éducateurs, utilise l'approche corporelle et fait ainsi, stage après stage, découvrir le massage. Il en est aujourd'hui plus que jamais le fervent défenseur et prouve ses indéniables qualités. Son point de vue est partagé par une large audience qui ne cesse d'augmenter.

Il enseigne personnellement ses techniques dans des écoles d'infirmières, à des masseurs-kinésithérapeutes, à des groupes grand public et socioprofessionnels divers (jeunes travailleurs, éducateurs, enseignants, artistes...).

Cofondateur en 1985 de l'association « PSYKINÉSIE », il est également l'auteur de nombreux articles spécialisés et d'une vidéocassette sur le massage.

L'originalité de sa pédagogie repose sur la mise en valeur de la capacité de chacun de se prendre en charge, de cerner et développer cette capacité et, bien sûr, sur la confiance, l'ouverture aux autres et la communication ; elle est d'ailleurs une synthèse intéressante des différents apports occidentaux et orientaux, sans parti pris.

Joël SAVATOFSKI
(Masseur-kinésithérapeute diplômé d'État)

Le massage douceur

Initiation pratique au massage familial de santé, pour retrouver mieux-être, harmonie intérieure et détente.

Photos : Gilles Elie.
Dessins : Yannick Mouré.

20e mille

Editions DANGLES
18, rue Lavoisier
45800 ST JEAN DE BRAYE

Générique :

Idée et texte : Joël Savatofski
avec :
— A la photo : Gilles.
— Au dessin : Yannick, d'après les croquis d'Éric.
— Valérie en relaxinésie.
— Pétrie, huilée et massée, c'est Agnès... mais aussi Martine.
— Pendant son heureuse grossesse : Babette.
... un peu plus tard avec Bastien.
— Les enfants : Nicolas, Sophie et Vladimir.
— Pour la couverture : Robert.

La participation à divers titres de Alice, Herta, Pascal et Serge
... et les encouragements de tous les amis.

ISSN : 0180-8818
ISBN : 2-7033-0303-3

© Éditions Dangles, St-Jean-de-Braye (France) - 1986

Avant-propos

Ce livre n'est pas un ouvrage de plus dans la panoplie déjà riche des ouvrages spécifiques, qu'ils soient réservés aux professionnels ou aux non-professionnels. C'est le résumé, en quelques pages de texte facile à lire et largement illustrées de photographies et de croquis, d'une idée qui me tient à cœur depuis plusieurs années :

— Informer, sensibiliser et convaincre de la facilité à acquérir et à dispenser les gestes simples, quotidiens et bénéfiques de nos mains, sans appareils ni environnement ou matériels sophistiqués...

— Aider chacun à retrouver le plaisir du toucher, celui de recevoir... mais aussi celui de donner.

— Faire connaître le massage pour bien être et comme art de vivre pour tous, sans discrimination d'âge, de sexe ou de catégorie sociale.

— Rappeler que progrès n'est pas synonyme de techniques sophistiquées, mais de plus grande autonomie de chacun.

Je fais allusion dans ce livre, pour les avoir personnellement pratiquées, à quelques disciplines et pratiques particulières que vous connaissez peut-être déjà, et à d'autres dont certains ouvrages font état. Pour ma part, je donne la préférence au massage généraliste, le « massage au quotidien » que je vous propose de découvrir.

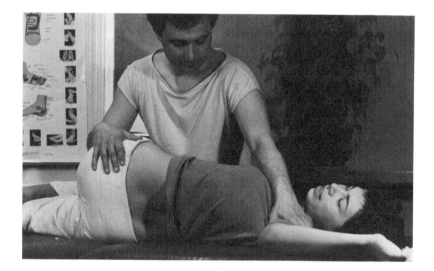

PREMIÈRE PARTIE

Ce qu'il faut savoir

CHAPITRE I

Le massage pour tous

1. Du bon usage des mains

Dix années de kinésithérapie (dont plusieurs comme animateur de groupes) m'ont convaincu que **le massage est à la portée de tous.** Je rencontre de plus en plus de personnes qui souhaitent le pratiquer ; certaines s'y mettent d'ailleurs très vite, après une courte période d'initiation.

Comme de nombreuses activités artistiques (tels le théâtre, la peinture, la musique, la danse, etc.), le massage, une fois surmontées craintes et peur « de ne pas savoir », se révèle passionnant, aisé, ô combien utile et ce, d'autant plus intensément que notre main en est directement l'outil, et notre sens du toucher le support ! Très vite, l'apprentissage de certaines techniques, de quelques trucs, et l'expérience aidant, transforme les hésitations du début en une aisance qui débouche sur un véritable savoir-faire.

Le massage, parce qu'il est aussi intuition, attentions et communication (qualités innées de l'individu ne demandant qu'à s'épanouir), peut et **ne doit pas être réservé aux seuls techniciens.** C'est là ma conviction personnelle que je souhaite vous faire partager ; elle est basée, mais ce serait trop long à raconter, disons... essentiellement sur une longue et solide expérience dans des milieux très diversifiés, ainsi que sur des recherches plus théoriques en milieu universitaire.

Alors :

— Si vous êtes de ceux qui ne savez pas encore que le massage n'est pas forcément associé à fracture, paralysie, entorse, rééducation, voire amaigrissement...

— Si vous êtes de ceux qui avez peut-être déjà imaginé, dans l'art de masser, un moyen fantastique de connaissance de soi et des autres, compris qu'il peut aider à aimer le corps et à rapprocher les individus...

— Si vous êtes de ceux qui ignorez encore que, grâce à lui, de nombreux maux peuvent disparaître, qu'à partir de gestes simples l'organisme se relaxe ou se recharge en énergie...

— Et même si vous faites partie des sceptiques mais « qui-ne-demandent-qu'à-voir »...

Alors, je vous propose d'en faire vite l'expérience.

2. Progrès... vous avez dit progrès ?

Nombre de personnes refusent de pratiquer le massage, voire même d'essayer, persuadées qu'elles ne savent ou ne sauraient pas.

Dans notre société — nous le constatons quotidiennement — les tâches les plus banales ont tendance à devenir de plus en plus parcellisées ; elles échappent ainsi, petit à petit, au savoir-faire de chacun d'entre nous. D'aucuns les accaparent, les modifient, déterminent de nouvelles règles, en font une spécificité et leur propriété. C'est ainsi que naissent de nouvelles fonctions et de nouveaux « professionnels » ou « spécialistes ». C'est à peine si nous re-connaissons telle ou telle tâche sous sa nouvelle étiquette spécifique ; nous l'avions pourtant pratiquée dans sa simplicité première ! Nous perdons peu à peu confiance en nous, finalement persuadés que *nous ne savons pas* parce qu'il y a ceux qui *savent officiellement*. Ce phénomène n'est pas nouveau, mais il s'amplifie pour devenir de plus en plus sensible dans tous les domaines.

Prenez seulement l'éducation qui conditionne toute notre vie ; elle est devenue le terrain favori de bon nombre de ces nouveaux « professionnels » : du pédiatre à la puéricultrice et à la maîtresse d'école en passant par les animateurs de loisirs, le conseiller pédagogique, la psychologue... quand ce ne sont pas déjà l'orthophoniste, la psychomotricienne et, pourquoi pas, l'éducateur spécialisé. Tous ces spécialistes se partagent, en toute bonne foi, le gâteau.

Le créneau « santé » n'y échappe pas : professions médicales et paramédicales se multiplient parallèlement aux avancées scientifiques, harcelant à qui mieux mieux l'individu. Certes, le P.N.B. (1) en tire un avantage et notre société occidentale une garantie de plus à son « label progrès ». Pourtant, si on y regarde d'un peu plus près, notre supériorité

---

1. Produit national brut.

de primates reste toute relative, car le petit de l'homme est sans doute, de tous les mammifères, celui qui met le plus de temps à gagner son autonomie.

Mais, me dira-t-on, l'homme n'est-il pas le seul qui soit à la fois spectateur et acteur de sa vie ? Privilège ? La question a le droit d'être posée.

L'homme moderne est en train de bâtir une société « antivie », énorme génératrice de nuisances de tous ordres, perturbatrice jusque dans les conditions minimales de son équilibre physiologique ; elle dérègle considérablement son système nerveux et émotionnel ; des voix de plus en plus nombreuses s'élèvent journellement pour avertir « l'homme » que ce privilège, mal utilisé, risque de le conduire finalement à sa propre perte. Aujourd'hui, l'homme fissure l'atome, mais il reste le plus souvent incapable de briser la solitude, de casser certaines idées, habitudes ou préjugés absurdes. Il se lance dans la conquête de l'espace, mais maîtrise mal son environnement immédiat. A deux pas du XXIe siècle, cela ne semble pas, hélas, devoir s'arranger ! On continue à se battre à droite et à gauche pour un « pouvoir d'achat », sans tenir vraiment compte de notre « pouvoir de vivre ».

Il n'est pas dans mon propos de faire le procès de notre société « avancée ». Je crois pourtant qu'il est bon de réagir vite et par tous les bouts, à commencer par tous les petits actes quotidiens, dont il ne faudrait pas trop nous déposséder.

Il y a communication et communication ! L'espérance ou la résignation, à moins que ce ne soit la naïveté, nous projettent maintenant vers la communication informatique, nouvelle idole d'un nouvel âge d'or ! Faut-il accorder aujourd'hui plus de confiance aux circuits intégrés qu'hier aux machines industrielles qui devaient abolir une certaine forme de labeur quotidien ?

Dans mes activités, qu'il s'agisse de kinésithérapie médicale, de formation des élèves infirmières, de directeur de centres d'enfants... ou de stages grand public sur le massage, le besoin d'émotion, de communication, d'expression, de création apparaît toujours si fréquent chez les participants, qu'on est en droit de se demander si ces besoins ne sont pas des indices révélateurs, subtils, profonds, encore insuffisants, certes, pour se complaire dans un optimisme béat, mais qui vont tous dans le même sens : **la nécessité vitale d'un retour vers les choses de la nature, d'une réconciliation avec notre nature propre ?**

L'attrait des médecines douces, le développement des disciplines d'expression et de création entre autres, en sont sans doute l'émergence la plus significative.

3. Massez-vous les uns les autres

En décidant d'écrire un livre sur le massage, j'ai voulu vous faire découvrir au fur et à mesure des pages que « l'agréable » peut aussi se confondre avec « l'utile » et vous rappeler que bien souvent **simplicité et efficacité vont de pair**. J'espère contribuer à infléchir le cours de certains préjugés, vous sensibiliser vers la recherche et la connaissance de ce moyen extraordinaire à portée de vos mains, vous encourager à l'essayer, en un mot vous donner une idée plus juste de ce que peut être le massage.

Il n'est pas une panacée, mais ses vertus physiologiques sont innombrables ; de plus, en revalorisant le plaisir, le sentir, en rendant les gens plus heureux, mieux dans leur peau, il peut sans doute aussi modifier en douceur les rapports sociaux.

C'est pourquoi je vous invite à le pratiquer en famille, entre amis, en couple, dans l'intimité ou comme un jeu. Dans une salle préparée à cet effet, dans un coin improvisé, près de la cheminée, pour le plaisir ou pour aider à soulager, voire à guérir certains maux, pratiquez-le en vacances, sur vos lieux de travail, dans les transports... Pourquoi pas ?

Associez-y les enfants, les personnes âgées, faites-le connaître aux militaires, aux hommes d'affaires, aux hommes politiques, aux scientifiques têtus, aux enseignants épuisés, aux médecins rigides, aux machos...

Utilisez-le comme remède aux groupes atteints de « réunionnite » chronique ou aux individus en crise de « verbalite aiguë ».

Introduisez-le là où précisément sa place apparaît incongrue !

Les différentes techniques que je vous propose sont simples et facilement assimilables ; elles vous permettront rapidement d'aider les autres, de mieux les rencontrer.

Essayez vite, exercez-vous, recevez, donnez et transmettez à votre tour votre nouveau savoir-faire pour que le massage devienne une pratique quotidienne, pour le plus grand nombre !

4. Le massage est universel

Quand aujourd'hui on parle de massage, l'image du kinésithérapeute, homme en maillot de corps aux muscles redondants, faisant craquer les articulations et pétrissant avec vigueur les masses musculaires d'un individu abandonné, étalé sur une table un peu comme une « chiffe molle » a, certes, en grande partie disparu des esprits. Il n'en reste pas moins que le massage est assimilé à un acte avant tout médical, donc pratiqué par un professionnel.

Peu de personnes prennent l'initiative de masser la nuque contractée ou les jambes lourdes d'un ami. On offre volontiers à son compagnon de lui frotter le dos sous la douche ou de lui réchauffer sa place au lit, mais rarement de le masser. Personne n'aurait l'idée de proposer un massage à son voisin, comme on lui propose de prendre l'apéritif, d'arroser ses plantes en son absence ou de garder les enfants pour la soirée. Les entreprises obnubilées par la productivité ont mis en place la pause-café et, au Japon, des punching-balls défoulatoires sur les lieux de travail évitent des difficultés certaines au patron. Alors, le massage entre collègues, entre voisins, entre relations, c'est pour quand ?

Dans le domaine du théâtre, de la danse, des disciplines d'expression et de création, on commence à sentir, chaque jour un peu plus, l'utilité du massage comme préparation individuelle, et aussi pour une meilleure cohésion du groupe. Les sportifs de haut niveau ou les membres de notre société qui en ont vraiment les moyens, en quête permanente, les uns de muscles frais, les autres de sveltesse, s'entourent de plus en plus de mains miraculeuses.

Un ami rentrant d'Extrême-Orient me relate qu'à Saigon (aujourd'hui Hô Chi Minh), il était assez courant de rencontrer sur la voie publique des marchands de massages à l'affût de la clientèle ; des crieurs déambulent même dans les rues, proposant leurs services, comme le faisaient autrefois chez nous les vitriers, les rémouleurs, comme les raccommodeurs de faïences et de porcelaines.

Ailleurs, notamment en Europe, si vous proposez un massage à quelqu'un et si, de surcroît, vous n'êtes pas professionnel, il est fort probable que votre démarche soit mal prise. De deux choses l'une, ou bien l'on considère le massage comme un acte purement médical et, n'étant pas professionnel, vous n'y avez pas accès, ou bien comme un acte équivoque (2).

Partant du cliché que le massage correspond seulement à un besoin tangible, nombre de personnes n'en ont jamais reçu un seul ; d'autre part, peu de gens connaissent tous les bienfaits qu'un corps sain retire du massage. Celles ou ceux donc qui se sont déjà prêtés au massage, avec ou sans impératif médical, pour leur plaisir, leur bien-être ou quelque autre raison sont, à n'en pas douter aujourd'hui, membres du « Club des amoureux du massage ».

A la fois curatif et élément important de l'hygiène de vie, une autre particularité étonnante de cette discipline, et non la moindre, est d'agir et de faire effet à la fois instantanément ici et maintenant, mais aussi à retardement.

Enfin, on peut dire que le massage fait partie de ces rares thérapies agréables à recevoir... et même bien souvent à donner.

Alors, qu'est-ce qui distingue un massage médical d'un massage tout court, serait-on tenté de se demander ? Un ami peut-il soulager votre mal au dos par exemple, mal si fréquent, si courant, inattendu ?

5. Le massage instinctif

Quand quelque chose ne va pas, les premières réactions viennent souvent de nos propres attitudes ou de celles d'un proche : on se frotte l'endroit douloureux, on évite de manger quand on est embarrassé, on se remue quand on a froid. Il est évident qu'on a souvent le bon réflexe ; dans de nombreux cas, on pourrait se prendre en charge soi-même sans appeler le médecin à tout instant pour un mal de tête, de cœur, d'estomac ou autre ; de même, les douleurs du dos, de la nuque, la fatigue des jambes, les difficultés à dormir ou les moments de dépression, peuvent être soulagés par le massage que chacun peut dispenser, aidant ainsi l'autre.

Quand vous serrez dans vos bras un ami pour le réconforter, quand vous lui frottez les pieds pour les réchauffer, quand vous calmez sa migraine en pétrissant sa nuque tendue ou tout simplement en posant

2. On pense naturellement aux fameux massages dits « thaïlandais » qui défrayèrent la chronique il y a quelques années.

votre main sur son front, vous vous passez manifestement d'une prescription médicale, et vous avez raison (3).

Pourtant, il semble que nous hésitons de plus en plus à faire ce qui,
autrefois, était communément pratiqué. Paradoxe de notre époque : les
connaissances de l'individu dans tous les domaines se sont considérablement développées, en même temps que le réflexe à n'avoir et ne faire
confiance qu'aux professionnels.

Quand la médecine était préventive...

On ferait bien de s'inspirer de la logique qui prévalait dans ce domaine
dans l'ancienne Chine ; le médecin d'alors était avant tout chargé de faire
respecter la santé ; sa notoriété ainsi que sa rétribution se voyaient sanctionnées si le nombre de personnes mal portantes augmentait dans sa
circonscription. En somme, un peu tout l'inverse d'aujourd'hui !

---

6. La confiance en soi

Parfois, on me demande, avec un étonnement empreint de scepti-
cisme : « *Mais peut-on masser ainsi sans connaître l'anatomie ?* » Bien
sûr, l'étude du corps humain est nécessaire pour mieux comprendre tous
les phénomènes auxquels nous sommes confrontés mais, pour masser,
elle n'est à la fois ni indispensable, ni suffisante. Un savoir-faire qui
s'acquiert par l'expérience et la confiance en soi est, à mon avis, de loin
préférable à toutes les acquisitions livresques et théoriques.

Dans les disciplines de santé comme dans d'autres, on ne consacre,
hélas ! que trop peu de temps à aider les élèves à re-prendre confiance
en eux, à se sentir plus aptes à aborder le corps de l'autre. Trop peu de
travail est fait pour sensibiliser l'étudiant (4), futur praticien, à une meilleure écoute, à être plus disponible, plus responsable, à stimuler et recon-

---

3. Car si la loi est claire sur l'interdiction de pratiquer un acte médical si l'on n'est
pas compétent au sens « diplômien » du terme, elle ne précise pas à partir de quand ou
de quoi on est considéré comme malade. Certains supportent parfaitement un mal au dos
constant, d'autres s'affolent au moindre petit torticolis.

4. Certaines écoles d'infirmières commencent, encore timidement il est vrai, à inclure
une part de « développement personnel » dans leur programme d'études ; la relaxation,
l'expression corporelle, la dynamique de groupe, la bio-énergie y trouvent une petite place.
Par ailleurs, beaucoup de kinésithérapeutes, désappointés par le sens donné à leur formation, se tournent de plus en plus vers l'ostéopathie, la méthode Mézières, l'antigymnastique,
la psychologie... méthodes d'approche plus globale de l'individu.

naître son intuition. Les quelques cours didactiques de psychologie, éventuellement de sociologie, dispensés ici et là, s'ils sont fort intéressants, ne donnent en aucun cas assez d'ouverture et de compréhension aux sacro-saints rapports soignant/soigné. Ils sont la plupart du temps trop théoriques. Nous n'avons aucune raison de croire que les futurs professionnels de la santé, formés comme ils le sont, seront mieux préparés à aborder les problèmes de santé que n'importe qui d'entre vous, fût-il le plus ignorant.

Instruit dans le moule académique depuis l'école maternelle, l'étudiant se trouve souvent dérouté devant certaines questions et ne peut envisager d'autres réponses que celles fournies par la technique et l'explication logique, rationnelle et scientifique des phénomènes. Il s'y raccroche donc. Mais les futurs professionnels de la santé sont ainsi mal préparés pour répondre aux besoins grandissants de « l'homo-sapiens fin XXe siècle » qui souffre au fond de lui-même de n'être pas assez écouté, de manquer de rencontres, de communication et aspire à se sentir utile.

Force est de constater que le médecin trouve de moins en moins le temps d'écouter, le kiné de masser ; le curé est en voie de disparition, la famille éclatée. C'est sans doute pour cela que d'autres situations, d'autres acteurs apparaissent aujourd'hui. La preuve en est la multiplication des spécialités parallèles hors du champ médical classique (médecines douces, techniques corporelles importées d'Asie...) ; le développement des stages et séminaires de créativité, d'initiation aux techniques corporelles de réhabilitation du corps, le nombre croissant de publications de magazines grand public de santé et de mise en forme, trouvent là obligation de s'épanouir ; les uns et les autres répondent au fond, et à leur façon, à un besoin réel, sans doute plus qu'à une mode (5) ; sinon les aurions-nous vus se développer autant et prendre l'importance qu'ils ont ?

7. Relation, quand tu nous tiens !

Vous avez peut-être fait l'expérience des mains qui, d'emblée, vous apaisent, vous réchauffent, vous donnent du baume au cœur. Parfois, les mains de la personne qui vous est chère peuvent plus pour soulager vos maux que les meilleurs praticiens du monde. De même le massage

5. La préoccupation du corps prend le relais de l'habillement.

est bien autre chose qu'une technique à effet mécanique. Son effet majeur se trouve autant dans la relation qui s'établit entre celui qui masse et celui qui est massé (6). Cet effet non quantifiable, subjectif, flou, entraîne systématiquement, en raison des difficultés à bien cerner sa nature, à considérer le massage comme quelque chose d'un peu magique peut-être.

En tout cas, « *si ça ne fait pas de bien, ça ne peut pas faire de mal* », semblent regretter, selon la formule consacrée, certains médecins et quelques-uns de leurs malades eux-mêmes, encore attachés à l'idée qu'il faut un peu souffrir pour guérir.

Heureusement, beaucoup de médecins commencent à se rendre compte que leurs patients ne sont plus dans le même état lorsqu'ils reviennent les voir après une bonne série de massages ; peut-être ne reviennent-ils pas du tout d'ailleurs ?

Alors, un peu comme vers le Marabout en Afrique, la médecine occidentale se tourne de temps à autre et en désespoir de cause, vers le « brave kiné » qui voit « débarquer » dans son cabinet du déplâtré-récent-aux-muscles-qu'il-va-falloir-refaire, à l'asthmatique-qui-ne-peut-plus-respirer, en passant par le rhumatisant-aux-douleurs-incessantes ou la femme-post-partum (7)-à-la-sangle-abdomino-ramollo... jusqu'à l'insomniaque-dépresso-emmerdeur !...

Et le plus souvent, ça marche... Pourquoi ?

Parce que la situation particulière, le climat de confiance, une certaine intimité peut-être, permettent une meilleure écoute et une prise en charge, ce que ne peuvent pas toujours les autres disciplines thérapeutiques, ou tout simplement les situations quotidiennes.

Ainsi le milieu médical est obligé de se rendre à l'évidence ; toute thérapie passe aussi par autre chose que par une technique ou une prescription médicale ; et le massage, parce qu'il est contact direct, intime avec l'autre est, sans aucun doute, un de ces moments privilégiés... qui apporte une guérison en établissant le bien-être.

Un exemple fréquent : combien de personnes, surtout des personnes âgées, n'ont-elles pas avoué que le seul endroit et le seul moment où elles peuvent parler à quelqu'un, où elles se sentent écoutées, c'est souvent dans les cabinets des kinésithérapeutes.

Comment, dans ces conditions, voulez-vous qu'on ne se sente pas un peu malade ?

---

6. Balint, il y a plus de 30 ans, parlait déjà du médecin-remède et de l'importance de la relation soignant/soigné pour une qualité thérapeutique.

7. Après accouchement.

8. Les indications du massage

Il est difficile de parler des indications du massage tant elles sont nombreuses ; la liste n'en peut pas être exhaustive, ne serait-ce que parce que ses effets dépendent beaucoup de la personne que vous traitez.

A la fin de chaque chapitre consacré aux « différentes parties du corps », vous trouverez les indications des effets particuliers du massage.

Vous l'avez déjà compris, le massage agit sur une multitude de troubles ; il peut en être le traitement majeur ou servir d'appoint complémentaire à d'autres techniques.

Enfin, et ce n'est pas là sa moindre vertu, il est aussi éminemment utile à l'homme sain... et justement l'aide à le rester.

Le massage trouve tout naturellement sa place auprès des sujets immobilisés au lit ; il s'exprime à merveille face aux problèmes circulatoires, œdèmes des membres, varices, troubles trophiques, crampes ; il allège les jambes lourdes et contracturées ; il donne un coup de pouce salutaire aux cœurs fatigués.

Le massage calme les nerveux, les stressés, les anxieux, réveille les déprimés, gomme les idées noires, dérange les neuroleptiques.

Face aux difficultés respiratoires, il s'avère un excellent adjuvant pour l'asthmatique et a un effet quelquefois bénéfique sur les sinus encombrés qu'il aide à s'aérer.

Il est l'ami n° 1 et le bienvenu dans les troubles musculaires, ligamentaires, contractures, tendinites, atrophies musculaires, séquelles d'accidents, entorses, élongations, claquages musculaires.

En rhumatologie, la douleur se fait plus petite à son contact ; les contractures s'étalent, les raideurs s'assouplissent ; souvent vaincus les antalgiques reculent et vieillissent dans les tiroirs.

Il est efficace dans les cas de maux de tête, torticolis, maux du dos, et même certains troubles digestifs ne résistent pas à son charme. La bile, sollicitée par le massage, peut être excitée à son contact et le transit intestinal paresseux reprendre du service.

Vous n'êtes pas sans connaître les indications du massage en dermatologie ; il redonne souplesse à la peau, fait fondre les graisses, réduit les cicatrices, retarde l'apparition des rides. Le massage rend beau !

Chez les sportifs, il permet de repousser les limites de l'effort et de mieux récupérer ensuite. Il remet en forme !

Le massage apporte aussi son aide dans les cas de problèmes du schéma corporel et de troubles moteurs et sensitifs.

La timidité, l'impression « d'être mal dans sa peau », la difficulté de communiquer s'estompent en présence du massage, alors que la sensibilité, le plaisir, la sensualité s'éveillent à son contact.

Le massage rend amoureux !

Enfin, vous découvrirez sans doute également son intérêt majeur dans les groupes où il contribue à faire reculer l'agressivité et favorise la convivialité.

Le massage s'adresse à tous, du nourrisson au 4e âge. Certes, il n'est pas la panacée, mais s'il n'existait pas, il serait sans doute l'une des toutes premières choses à inventer...

9. Les contre-indications du massage

Il y en a finalement très peu en comparaison des innombrables indications dont il est gratifié.

Sachez toutefois qu'il est, en principe, interdit de masser quand la personne présente un processus inflammatoire important, notamment dans sa phase active. Température générale : abstenez-vous. Parties localement chaudes, rouges, enflées : abstenez-vous.

Souvenez-vous aussi que **tout est nuance.** Qu'une femme se dise en pleine forme et, au demeurant vous apparaisse comme telle, c'est bien ; n'en pétrissez pas pour autant ses cuisses cellulitiques avec la force du bûcheron ! Trop c'est trop ; cela ne lui apportera rien de plus, au contraire.

CHAPITRE II

Les mille et une vertus du massage

1. Actif dans la réceptivité

Pour bien ressentir les effets du massage, il faut être en **état de récep-tivité,** accepter de se laisser aller et de s'abandonner entre les mains de l'autre.

Il ne faut pas croire toutefois que cette passivité signifie absence de toute activité. Si la personne massée s'abandonne ainsi entre les mains d'un autre, son corps est le siège immédiat de multiples réactions méta-boliques : muscles, tendons, peau vont se détendre sous le contact et per-mettre aux doigts de pénétrer plus facilement ou, au contraire, résister et faire comprendre « d'y aller doucement ».

Chaque réaction est un nouveau vécu ; le réchauffement local par exemple, comme d'autres, complète les nombreuses informations don-nées par le toucher directement. Ainsi, l'ensemble du corps est amené en permanence à réagir et à s'adapter.

Tout ce dialogue vivant, actif, permanent, échappe en grande par-tie, faute de temps, à la conscience, mais existe bel et bien. Celui qui masse s'adapte et s'ajuste instinctivement à toutes ces microréactions ; mais, un peu comme l'artisan potier, outre ce qu'il a sous les doigts, la respira-tion, l'expression visible sur le visage du massé lui donnent aussi une idée de ce qui se passe. Une multitude de petits indices, rapidement percepti-bles avec un peu d'habitude, éclairent ainsi les gestes du « masseur » ; explorer et agir instantanément, quasi simultanément, est donc possible grâce à la qualité fondamentale du toucher.

2. Toucher, c'est vital

Dès que les mains se posent sur la personne et commencent les premières manœuvres, celle-ci se calme et son visage, sa respiration commencent à changer. Est-il possible que le massage fasse du bien simplement parce que l'on se sent touché ?

Nous savons tous d'expérience que les stimulations cutanées, caresses, soins divers du corps, contacts avec l'autre, etc., sont finalement un besoin dont il est difficile de se passer et que nous recherchons d'une manière ou d'une autre toute notre vie. Besoin biologique indispensable autant, semble-t-il, que se nourrir, se vêtir et dormir ?

Probable ! Et ce depuis la tétée et peut-être bien avant encore, lors des mouvements et du frottement contre les parois du placenta, ou encore lors des contractions prénatales... Premier massage complet *in utero* sans doute.

Regardez les mammifères. Dès la naissance, la mère s'active pour ses petits, les lèche, les porte, les réchauffe, les protège contre son corps ; plus tard et très vite, eux-mêmes passeront une grande partie de leur temps à se lécher, se frotter, se laver, se secouer, se renifler, jouer. Qu'avons-nous gardé de ces contacts intimes de nos cousins les bêtes ? Après l'enfance, peu de chose : saucissonnés dans nos vêtements, ensardinés dans les transports urbains, nourris de préjugés et d'interdits, certains d'entre nous ne retrouveront le contact qu'à travers le jeu sportif, d'autres se chercheront corps à corps dans les boîtes de nuit ; ici, on se fera la bise, timidement, joue contre joue ; ailleurs, on se serrera la main...

Le langage digital est la première sensation que perçoit le bébé qui, comme votre chat ou votre chien, aime et a besoin d'être touché. Cela est tellement vrai qu'on a constaté que les bébés privés très tôt de contacts manifestent plus tard dans leur vie adulte d'importantes perturbations : comportements plus nerveux, plus agressifs en sont les signes. Des troubles somatiques importants, en particulier respiratoires, souffle plus court, asthme, ou dermatologiques, en seraient les conséquences.

Si certains « ne croient que ce qu'ils voient », d'autres, plus sceptiques encore, exigent « d'être pincés, preuve qu'ils ne rêvent pas ». Ainsi, l'acceptation de la réalité et notre relation aux choses passent nécessairement par le toucher.

3. Les interdits de l'éducation

Malgré ce besoin vital et équilibrant chez l'homme, le toucher, parmi tous les sens, apparaît comme le plus réprimé, du moins dans notre société occidentale. On s'excuse à table en allongeant le bras pour saisir la salière, autant qu'en frôlant un voisin dans l'escalier ; on s'excuse rarement, en revanche, de jeter un regard désagréable sur quelqu'un, d'importuner de son parfum ou de couper la parole à tout instant.

Les hommes tapent dans un ballon avant de se taper dessus ou de se sauter au cou quand le but est marqué ; les femmes s'entraident parfois à se vêtir, plus souvent à se maquiller ou à se coiffer mais, en dehors de quelques moments « privilégiés », les corps passent leur temps à s'éviter.

Toute l'éducation est basée sur le rejet du contact physique et quand l'école nous imposait, avant d'entrer en classe, de prendre nos distances pour « être dans le rang », cette contrainte était bien le signe de l'interdit qui frappe les corps.

Quelque chose a-t-il fondamentalement changé ?

Toute cette retenue du toucher bloque d'une manière chronique nos gestes vers les autres. Nous nous retenons et cela se manifeste physiquement, musculairement, sous forme de mini-contractures qui « s'empilent » et finissent par rigidifier complètement notre comportement.

Ainsi, dans mes stages, je remarque l'importance considérable des exercices de communication corporels et combien ils sont enrichissants pour les relations du groupe. J'ai introduit ce type de démarche il y a une dizaine d'années, en utilisant en particulier les massages, dans la formation de directeurs de centres de vacances et de loisirs. De prime abord, cette pédagogie peut apparaître sans liens, mais pas longtemps. Une fois levés les premiers scepticismes et quelquefois certaines résistances, les participants découvrent ou redécouvrent le bienfait du contact corporel, des rapports plus humbles et plus simples aux choses, une transparence ou une authenticité nouvelles ou oubliées, comme si le contact corporel redonnait au langage parlé des accents de sincérité et de simplicité... même la comptabilité prenait soudain un visage plus humain...

4. Le droit à la caresse

La bise ou la pluie qui fouettent le visage, le vent qui caresse nos narines et nos cheveux sont autant de plaisirs du « toucher ». Quand nous nous balançons dans un fauteuil, ne ressentons-nous pas le plaisir que procure le frottement de nos vêtements sur notre peau ?

Le confort optimal que nous possédons, la douceur de nos moquettes, le moelleux de nos fauteuils, nos « super-multispires » et autres ont sûrement sur nous un pouvoir de bien-être, mais ce bien-être peut-il être comparé avec celui que procurent les mains ou les bras d'un autre ?

Il ne manque pas d'exemples de contacts générateurs de bien-être : ceux du coiffeur, de la manucure, de l'esthéticienne sont assez quotidiens et connus de tous ; dans les métiers de l'habillement aussi s'établissent des contacts du toucher et, à ce propos, quelques souvenirs personnels se présentent à ma mémoire. Notamment, dans mon enfance, mon père me prenait pour modèle pour essayer vestes et pantalons qu'il fabriquait. Il piquait des épingles dans la doublure, dans le tissu, les enlevait, les remettait ailleurs, tapotait et corrigeait un pli ; autant d'attouchements inattendus qui me surprenaient et m'étaient, à chaque fois, très agréables ; j'en étais profondément ému.

Certes, on peut vivre sans être touché, mais on vit plus mal !

5. Les effets du massage

a) Le mieux-être

Si le massage est avant tout toucher, il n'est pas que cela. Il a des effets directs sur la physiologie, l'équilibre énergétique et le psychisme de la personne.

Quand vous êtes mal dans votre peau, le dos tendu, la mâchoire contractée, le front plissé de soucis, les poings continuellement fermés, la respiration courte, le relâchement quasi inexistant, des contractures en chapelet le long de la colonne vertébrale, l'énergie ne circule plus ; la lourdeur et la rigidité s'installent. Les fonctions vitales de votre organisme peuvent être à la longue touchées, et le massage constitue le moyen de les rétablir et d'améliorer votre état, tout simplement parce qu'il s'attaque autant localement aux contractures (là où siègent les tensions et où se nichent les blocages énergétiques) que, bien au-delà, sur l'ensemble de l'individu par stimulation de sa physiologie tout entière.

Souvent, dès les premières manœuvres, vous allez sentir la peau et les muscles s'assouplir, les contractures céder peu à peu, la peau rougir par endroits, là où vous appuyez plus fort, et se réchauffer. La douleur, quelquefois localisée en un point gros comme un pois, tend à se calmer, là où auparavant elle était insupportable. La personne se détend globalement, son visage change et laisse filtrer un large soupir...

Depuis plusieurs milliers d'années sans doute, et partout sur la terre, les hommes utilisent les vertus du massage et les utilisaient bien avant d'avoir découvert... l'adrénaline. Et ce que chacun sait du massage, c'est pour l'avoir d'abord constaté. La biologie, la biochimie et toutes les sciences médicales n'ont en rien fait évoluer la technique du massage. Elles permettent, en revanche, de mieux comprendre ses effets et le pouvoir réel de nos mains.

Il peut être utile de s'y arrêter le temps de quelques lignes.

b) Effets physiologiques

Après un coup, on se frotte machinalement comme pour faire taire la sensation désagréable. En effleurant ainsi superficiellement, uniformément et rapidement, on provoque une surabondance, une overdose d'informations au niveau des nombreux récepteurs sensitifs de la peau. La sensation de douleur se trouve alors brouillée, étouffée. Dans la même logique, on utilise de la glace pour calmer certaines douleurs, pour « figer » l'excitation.

Quelquefois, le simple fait de poser ses mains sur la peau, ou d'effleurer, de frictionner doucement, a une action sédative et calmante. Les millions et millions de récepteurs sensitifs situés sur la peau, stimulés de cette sorte, réagissent comme en « boudant ». Tout cela explique, en partie, les effets calmants du massage.

Mais aussi, le massage provoque localement une vasodilatation de la peau et des vaisseaux sous-cutanés, exprimée par la rougeur et la sensation de chaleur. Les manœuvres de pétrissage, de foulage, de pression ont le même effet mais plus en profondeur, au niveau des muscles et des tendons. Cette vasodilatation attire plus de sang vers les cellules, active le débit veineux et lymphatique. Conséquence heureuse : les muscles et les tissus se décongestionnent, se relâchent, des fibres musculaires enrichies se reforment, etc.

La circulation du sang et le massage

Sous le contact des doigts et de la main du masseur, la circulation sanguine, locale d'abord, va réagir, les parois des capillaires vont se détendre et favoriser le passage du sang artériel vers les cellules et, dans l'autre sens, des déchets vers les petites veines et les lymphatiques.

Les capillaires les plus paresseux qui, d'ordinaire, dorment complètement refermés sur eux-mêmes vont donc se laisser attendrir par le massage et se mettre à fonctionner à leur tour.

Tous les échanges entre les cellules et le système vasculaire vont alors augmenter, s'accélérer.

Mieux nourris par le sang artériel riche en oxygène et en sucre, les tissus sont vivifiés, reconstitués. Les toxines, déchets et poisons de toutes sortes, libérés dans la voie veineuse décrispent les fibres musculaires. Le débit sanguin s'en trouve considérablement augmenté, un peu à l'image des fontes des neiges gonflant les torrents.

Quand vous pressez sur une contracture, quand vous pétrissez la région tendue, l'afflux de sang neuf dans le nœud musculaire décrispe celui-ci, un peu comme une éponge pressée qui, gorgée d'eau, reprend vie. Les nombreux récepteurs nerveux précédemment écrasés, bloqués, étouffés, et qui souffraient de la contracture, respirent à nouveau.

Ainsi, **le massage a une action directement locale**, là où se fait le contact, mais elle **s'étend également bien au-delà** par l'intermédiaire des systèmes circulatoires et nerveux. Par exemple, lors des problèmes circulatoires des membres inférieurs, jambes lourdes, œdèmes, stase veineuse, pieds froids, massez au moins la voûte plantaire. Pourquoi ? Parce que, en décongestionnant d'abord localement, cela stimule de proche en proche la circulation et finalement tout le membre ; la jambe s'allégera comme par enchantement...

De même pétrissez les muscles engorgés de l'entonnoir formé par le cou. Vous dénouerez non seulement la région directement sous vos mains, mais votre manœuvre aura une autre conséquence bénéfique et non la moindre : vous allégerez la tête en y améliorant la vascularisation, procurant de ce fait un grand soulagement à de nombreux maux de têtes (1).

---

1. Sans oublier qu'en relâchant cette région musculaire directement liée à certains mouvements du thorax, c'est toute la respiration que vous allez détendre, entraînant, comme vous pouvez l'imaginer, tous les effets bénéfiques sur l'organisme.

Par ailleurs, en intervenant sur le flux sanguin lui-même ; en le stimulant donc, le massage soulage le travail du cœur ; de là à penser que l'individu massé régulièrement échappe à l'infarctus (2), il n'y a qu'un pas, d'autant que sur le plan nerveux, l'état de relaxation obtenu et le sentiment d'être pris en charge sont autant de bienfaits que peuvent tirer du massage tous les stressés, anxieux, cardiopathes en puissance.

Ainsi, quel que soit l'endroit que vous massez, **le massage fait finalement toujours tache d'huile sur l'ensemble du corps,** par l'intermédiaire des réseaux sanguin, lymphatique, nerveux, mais aussi par d'autres circuits que nous connaissons, certes moins bien, mais dont on ne peut plus aujourd'hui ignorer l'existence, ni l'importance.

Je voudrais vous en parler maintenant.

6. Chi (Ki), l'énergie vitale

Vous savez que l'on dit de quelqu'un qu'il a de l'énergie ou au contraire qu'il en manque.

La médecine chinoise nous enseigne que le « Chi » (énergie vitale) circule librement au niveau du corps, empruntant les voies reliées entre elles appelées méridiens. Ces chemins, invisibles sous la peau, sont bien connus de l'acupuncteur qui, à l'aide d'aiguilles, s'efforce de rétablir la fluidité de cette énergie. Le « shiatsu » par exemple, introduit en France depuis quelques années, est une technique manuelle qui justement prend en compte de façon spécifique les dérèglements énergétiques et leurs conséquences sur l'organisme (3).

Or, spontanément, presque instinctivement, nous agissons nous-mêmes sur cette énergie à chaque instant : par exemple, quand on se gratte la tête pour fouiller dans sa mémoire, se tripote les doigts lorsqu'on est impatient, se frotte sous le nez pour résister à l'ennui, se dégage du trac et des soucis en « triturant » la peau entre les sourcils, ou en prenant plaisir à se balader pieds nus dans l'herbe fraîche, sur le sable mouillé des plages, afin de se recharger (4).

---

2. Le docteur A. de Sambucy (voir ses livres publiés aux Éditions Dangles) et d'autres avancent depuis longtemps cette idée.

3. Cette technique, par exemple, issue de la culture orientale, requiert un apprentissage plus précis et il n'est d'ailleurs pas évident que chaque individu puisse s'y mettre du jour au lendemain avec la même facilité.

4. Voir chapitre XII : Automassage (Do-in).

Les différentes techniques que je développe dans le chapitre suivant, si elles sont largement inspirées du massage suédois (5), se sont enrichies des données énergétiques orientales. Il est en effet difficile de dissocier ces techniques l'une de l'autre, tout massage agissant sur le « Chi », et sur les circuits sanguin, lymphatique, nerveux...

7. Réflexothérapie

L'acupuncture, qui semble enfin mieux acceptée chez nous, permettra-t-elle d'éclairer d'autres invisibles ?

Par exemple, les découvertes empiriques des zones réflexes, zones utilisées à la fois comme diagnostic et comme terrain thérapeutique, éveillent en ce moment beaucoup d'intérêt et bien que nous ne sachions pas encore comment « ça fonctionne », nous constatons : la réflexothérapie, ça marche ! Certaines souffrances chroniques, certains dysfonctionnements disparaissent ou se trouvent atténués par stimulation de points situés en des endroits précis que l'on s'efforce de cartographier plus précisément depuis quelques années.

J'admets volontiers que cela peut paraître curieux d'aller déboucher les sinus en se frottant vigoureusement le bout des orteils, ou d'arrêter de fumer grâce à un petit fil suspendu au lobe de l'oreille... mais au fond, que penserait aujourd'hui Pythagore du suppositoire qui décongestionne la gorge ou d'un cachet qui calme les hémorroïdes ?

Comme pour l'énergétique, dès que nous massons, et probablement dès que nous touchons, nous faisons de la réflexologie sans le savoir.

8. Schéma corporel

Enfin, il est encore un aspect que l'on omet souvent de mentionner ; quand vous vous dites « en forme » après le massage, c'est que vous « la » sentez effectivement, concrètement ; sous les mains du masseur, les millions et millions de récepteurs sensitifs siégeant dans la peau, dans les muscles, dans les tendons, dans les vaisseaux, vous informent de votre état présent, de votre forme et de votre place dans l'espace.

---

5. Massage par zone.

Réflexothérapie

La réflexothérapie, réflexologie ou massage réflexe, est l'étude de la pratique du massage de certaines parties spécifiques (zones, points) qui sont en relation avec d'autres parties du corps, même très éloignées. Ainsi, on peut influencer directement un organe, une fonction ou une autre partie du corps en stimulant (massage, pression, pincement, chaleur) la partie correspondante dite « point » ou « zone réflexe ».

La plupart du temps, les zones réflexes ont été découvertes empiriquement, et aucune explication vraiment satisfaisante n'est donnée à ce jour : « Circuits énergétiques ? », « Relation d'origine embryonnaire ? », « Autres réseaux ? »... Force est de constater.

Les principales localisations des zones ont donné leur nom à des techniques particulières. On distingue donc :

— La **réflexologie plantaire** ou **massage réflexe des pieds** : zones essentiellement situées sous la voûte plantaire et les côtés du pied. D'accès facile, cette technique permet le diagnostic (point douloureux) et le traitement (massage, ponçage) ; on peut aussi l'utiliser en automassage, avec une balle, un rondin de bois, une semelle bosselée, les galets de la plage... ou marcher pieds nus !

— L'**auriculothérapie** : zones situées sur l'oreille, d'après une cartographie très précise. Diagnostic et traitement possibles avec une pointe fine ; il existe aussi de petits appareils diagnostiques et autostimulants.

— Le **massage du tissu conjonctif** (Bindesgewebsmassage) : zone essentiellement située dans le dos. Diagnostic et traitement par technique du pincer-rouler, étirement de la peau (trait coupant), ou stimulation superficielle (trait effleurant), ou encore par application de chaleur ou d'huiles essentielles.

— La **névraxothérapie**, ou **réflexothérapie endonasale**, ou encore **sympathicothérapie** : traitement par badigeonnage du nez et stimulation des parois des cornets nasaux en relation avec le système sympathique. Essentiellement pour traiter.

D'autres zones réflexes sont localisées sur les mains, la langue, le thorax et le ventre. Notons encore au passage :

— Le **shiatsu** (pression avec les doigts, ou digitopuncture) : pression, stimulation des points énergétiques appartenant aux réseaux des méridiens (est un peu une acupuncture manuelle). Diagnostic et traitement. Le shiatsu n'est pas à proprement parler une réflexothérapie car il agit plus globalement sur l'équilibre énergétique.

Quand vous les sollicitez par le massage, vous réveillez certaines régions silencieuses ; si vos gestes s'adressent alors à l'ensemble du corps, si toutes les régions sont reliées entre elles par des manœuvres appropriées, c'est encore plus probant, car alors tout l'individu se sent mieux dans sa peau, plus vivant.

Bref, le massage a une action très positive sur ce que l'on appelle le schéma corporel et, dans certains cas, aide à le restructurer profondément.

Cette application peut être utilisée dans les troubles psychomoteurs, problèmes de différenciation, mais conduit aussi tout bonnement à la sensation de bien-être (6).

9. Une tension peut en cacher une autre

Vous devez savoir, à partir du moment où vous entreprenez un massage, que les tensions ne sont pas seulement rigidité musculaire, mais qu'elles reflètent bien souvent une part d'événements marquants. En dénouant les tensions accumulées, vous pouvez libérer certaines émotions figées dans la masse ; parfois, mais c'est assez rare, des sanglots, des images fortes ou une joie intense éclatent à l'insu de la personne. Ne censurez pas cette expression, elle est une manifestation de la vie qui se remet à couler... Accompagnez... Aidez...

Arrivé à ce stade, il me paraît souhaitable d'ouvrir une petite parenthèse, pour que l'on comprenne mieux le lien indissociable entre l'émotion et notre respiration, entre l'interdit et nos stress.

Quand on demande à un enfant de ne pas pleurer « *parce qu'il est grand* » ou que « *c'est un garçon* », il faut savoir qu'en l'empêchant de pleurer, on inhibe une libération émotionnelle. Le petit va alors contracter sa mâchoire et bloquer sa respiration. Quand il sait qu'il ne faut pas gronder, il évitera de sortir les dents, de retrousser sa lèvre supérieure et contractera ses muscles du visage.

L'humiliation constante des enfants, leurs peurs, les interdits du genre : « *Ne hausse pas les épaules* », « *Tais-toi* », « *Tiens-toi droit* » ou « *Cesse de bouger* », dont ils sont fréquemment l'objet, les amènent à avoir des attitudes de type tête rentrée dans les épaules, regard baissé, mâchoire crispée, etc. Ces contraintes sont à l'origine de nombre de rai-

---

6. Voir chapitre XI : Massage californien.

deurs de la musculature cervico-dorsale qui pourront à la longue se fixer durablement (chronicité).

A force de décourager, voire de sanctionner les individus qui « *se laissent aller* », on constate plus tard une perte de certaines fonctions naturelles... une sorte d'incapacité d'en user, comme simplement soupirer par exemple. Cela, je l'observe fréquemment dans mes groupes de travail où, pour certains, soupirer est une véritable épreuve de force.

« *L'inhibition de la respiration est le mécanisme physiologique de la répression et du refoulement de l'émotion* », nous a montré Wilhelm Reich, il y a 50 ans déjà !

Ainsi, pour éviter l'exaltation de certaines émotions, on cherche toujours à réduire son métabolisme, en diminuant l'oxygénation, en ralentissant la prise d'air, en respirant « petit » (7). Pourtant, nous savons que le métabolisme augmente considérablement en cas de stimulus important, justement pour mieux préparer l'organisme à réagir (par le combat, l'expression-émotion, la fuite...). Ainsi, il est des moments où l'on a un énorme besoin d'énergie (devant la peur par exemple) et, paradoxalement, on « retient son souffle » et on cherche par tous les moyens à la contenir (c'est-à-dire à la garder !).

On contracte la mâchoire et on serre les poings quand on est en colère ; on ferme la gorge pour ne pas crier. De même, les enfants apprennent très tôt à contracter le diaphragme, muscle respiratoire majeur, et à retenir leur respiration « *lorsqu'ils éprouvent avec effroi des sensations de plaisir dans l'abdomen ou les organes génitaux* » (Wilhelm Reich).

« *Tout enfant qui souffre d'un refoulement sexuel a l'abdomen comme du bois. Observez la respiration d'un enfant refoulé et regardez ensuite avec quelle grâce un chaton respire ; constatez qu'aucun animal n'a le ventre raide* », observait, quant à lui, A.S. Neill.

A l'époque victorienne, les femmes obtenaient le même résultat en portant des corsets qui resserraient la taille et empêchaient les mouvements diaphragmatiques, nous rappelle A. Löwen.

Chaque fois que l'on demande à un enfant « *de ne pas gesticuler comme ça* » ou « *de se tenir tranquille* », nous sanctionnons son activité naturelle et « *nous réduisons son champ d'expérience, nous entravons le développement de son intelligence et nous l'encourageons à réprimer l'expression naturelle de ses émotions* » ; voilà ce que dénonce à son tour Thérèse Bertherat.

---

7. En limitant l'action du diaphragme, c'est alors essentiellement la partie haute du thorax qui « respire ».

Ainsi l'éducation agit même sur la charpente osseuse, pourtant de toute évidence particulièrement solide. Elle risque, elle aussi, de ne pas être épargnée et diverses répressions peuvent l'influencer et influer sur son harmonieuse poussée. Nous savons que la forme et la longueur des os sont modifiées lors de la croissance en fonction de la poussée des muscles qui s'y rattachent. Si le corps est soumis à de grandes tensions musculaires, les contractions chroniques des muscles brutalisent la croissance des os et déterminent la constitution physique.

On pourrait d'ailleurs multiplier les exemples : tout montre que de tels traitements pratiqués dès l'enfance modèlent le corps des individus, font prendre des attitudes corporelles, favorisent des comportements rigides et antivie et contribuent finalement à forger un certain type de caractère.

Pour s'adapter à une norme très opposée à sa nature propre, l'ensemble de l'individu se handicape considérablement et, plus tard, l'adulte aura bien du mal à se dégager de ce déguisement-cuirasse, d'autant que tout contribue perpétuellement à le rappeler à l'ordre par sanctions et récompenses interposées.

Ainsi, en inhibant l'agressivité, la spontanéité de l'enfant, en lui imposant constamment la maîtrise de soi, ou en créant des lieux ou des situations générateurs de contraintes physiques auxquelles l'organisme vivant n'est pas préparé, on installe une rigidité qui restreint l'assurance naturelle des mouvements. Tout cela peut expliquer à terme les maladresses, l'accident et, de toute manière, un certain mal-être, une dysharmonie entre le désir et l'agir qui va secouer toute notre vie.

Et le massage, parce qu'il donne au corps la possibilité de réagir et à l'individu celle de s'émouvoir, peut permettre de mieux comprendre ces phénomènes.

10. A vous de jouer

Nous le voyons, le massage peut être utilisé d'un point de vue **curatif** pour diminuer un trouble et le soigner, mais son action stimule aussi toutes les fonctions de l'organisme et même bien au-delà puisqu'il nous aide à mieux nous sentir et à mieux communiquer.

Générateur de détente et d'harmonie, il contribue efficacement à la connaissance du corps et aide à retrouver notre nature propre ou simplement à accepter le plaisir d'être bien, celui de **recevoir** et de **donner**.

Donnant, donnant

Si je me suis bien exprimé, vous avez compris que ma conception du massage est aux antipodes du « massage à la chaîne » et que de la rencontre « massé-masseur » naît en général une situation privilégiée pour les deux parties. Mes stagiaires l'assimilent très vite et, devenus « masseurs » à leur tour, trouvent dans cette technique des satisfactions jusqu'alors insoupçonnées. Pour certains, la découverte du massage devient une véritable révélation.

Le massage n'est pas un acte à sens unique, je veux dire donner sans recevoir en retour (d'une manière tangible ou non) et, ce disant, je ne fais naturellement allusion à aucune contrepartie matérielle. Le simple « *C'est bien, ça va mieux* » exprimé par l'un éveille chez l'autre un sentiment valorisant, celui d'avoir été reconnu comme pouvant être utile et, au-delà peut-être... de se sentir aimé.

Le massage est également, sans l'écrin de la parole, **la rencontre avec l'autre par les gestes et la sensation.** C'est abandonner pour un temps le conformisme rigide et les contacts protocolaires qui nous cuirassent. Le massage est communication différente et naturelle. C'est la découverte du corps d'autrui et, à travers lui, de son propre corps ; on est comme on est ; les canons de la beauté ne sont pas notre quotidien, mais chacun d'entre nous possède dans son jardin secret une âme d'artiste ; par le massage, on peut sculpter, modeler (ou s'en donner l'illusion), en tout cas prendre plaisir à œuvrer.

L'un reçoit, l'autre dispense... formulation on ne peut plus simple pour être bien, chacun à sa façon.

J'ai souhaité vous présenter les effets du massage comme un ensemble de phénomènes difficiles à dissocier les uns des autres, car tout en nous s'enchevêtre. Ainsi, les phénomènes vasculaires, nerveux, psychologiques, énergétiques et d'autres encore que nous ne connaissons pas, se complètent, interagissent constamment se combinant à l'infini.

Soulager ou guérir ses maux, se sentir mieux ou bien dans sa peau, n'avoir plus peur (ou moins peur) des autres... c'est, en somme, la même finalité.

Pour la suite, je vous propose de vous familiariser avec le massage, région par région, afin d'avoir une meilleure idée de ce que l'on a sous la main.

Chaque chapitre est un tout en soi qui peut être étudié dans l'ordre ou à votre convenance. Pour ma part, je vous suggère de commencer par la « relaxinésie », de faire connaissance avec cette merveilleuse technique qui va aider ceux qui n'ont jamais massé à se familiariser avec le corps de l'autre et avec les différentes attitudes corporelles à adopter pour pratiquer plus aisément le massage. En outre, elle a la particularité d'être ouverte et praticable par tous, en conduisant rapidement à une détente profonde.

Ensuite, notre voyage dans le massage proprement dit commencera par le dos, excellente plate-forme d'envol vers les nombreuses découvertes que je vous souhaite de faire... sans oublier la respiration qui vaut, à elle seule, un petit détour.

CHAPITRE III

La respiration

1. Harmonie en quatre temps

L'inspiration sert, en apportant de l'air aux poumons, à y récupérer l'oxygène au niveau des alvéoles et à enrichir le sang. A partir de là, transporté par les globules rouges, l'oxygène est ainsi acheminé par les artères vers les tissus, muscles et organes qui l'utilisent. En échange, ces derniers rejettent du gaz carbonique dans les capillaires veineux qui le véhiculent en sens inverse, jusqu'aux alvéoles, pour l'expulser. Ce dernier phénomène est l'expiration.

a) Inspirer, expirer

La respiration est avant tout un phénomène mécanique. En effet, en se contractant, les muscles étirent, élargissent dans tous les sens la cage thoracique, édifice souple de par sa configuration particulière. Elle est en relation, par adhérence de sa paroi interne, avec le tissu pulmonaire externe, la plèvre. Ainsi, à l'inspiration, les muscles du cou, les pectoraux, les intercostaux et surtout le diaphragme, en se contractant, repoussent les côtes vers l'extérieur, augmentent tous les diamètres du thorax et entraînent la plèvre dans leur mouvement. Il se produit un phénomène d'aspiration (comme le soufflet d'un accordéon) et l'air est rapidement attiré dans les nombreuses alvéoles. L'air grossit alors les poches des poumons, à l'instar d'une éponge qui se gorgerait d'eau. Lors de l'expiration, c'est le phénomène inverse.

Alors que l'inspiration est **active** par contractions musculaires, l'expiration est purement **passive** (1) par simple relâchement des muscles ins-

---

1. Encore qu'il existe certains muscles (abdominaux par exemple) qui peuvent forcer l'expiration s'il y a volonté de l'individu.

pirateurs ; cette dernière est donc liée à la fin de l'état de contraction et de tension, à l'apaisement, au soulagement.

Expirer, c'est dé-tendre, abandonner, lâcher prise ; expirer c'est mourir un peu, mais pour mieux re-vivre. Re-lâcher, re-vivre... et ainsi de suite *ad vitam aeternam.*

Si l'inspiration est active, elle est néanmoins automatique et régulée par un centre situé dans le cerveau, indépendant de la volonté (nous pouvons toutefois avoir sur elle une action volontaire : arrêt, accélération, augmentation, etc.). L'inspiration apporte l'énergie nécessaire à la vie ; elle est directement liée à la mobilité et à la sensibilité. Pour se mouvoir, il faut de l'air... pour s'émouvoir aussi !

Dans la vie, si certains ne « *manquent pas d'air* » et sont « *gonflés à bloc* », d'autres au contraire « *retiennent leur souffle* » devant certaines difficultés, ou ont subitement le « *souffle coupé* ». En réduisant ainsi leur expiration, ils accumulent poisons et toxines dans un organisme déjà sous-alimenté en énergie du fait d'une respiration réduite.

Or, en subissant constamment de nombreux stress, en refusant d'exprimer nos émotions (non compatibles avec les situations quotidiennes, tels le chagrin, la colère ou la joie), nous retenons et bloquons notre respiration et favorisons des dysfonctionnements organiques préparant la maladie. Comme on le voit, toute perturbation répétée de la respiration (2) affecte le fonctionnement vital de l'individu. Celui qui respire mal n'a, en général, pas « *l'air très vivant* ».

b) Détente

On peut aider quelqu'un à se détendre en l'aidant à respirer calmement. Ce petit travail permet de relâcher votre partenaire, mais aussi d'entrer en communication profonde avec lui par la respiration. Excellent terme que celui « *d'inspirer confiance* », donc d'être plus et mieux à l'écoute pour trouver ensemble le calme.

c) L'accord des respirations

Aidez votre partenaire à s'installer tranquillement sur le sol ou sur une table. S'il ressent une gêne au niveau lombaire, proposez-lui un coussin sous les genoux afin de décambrer la zone douloureuse. Demandez-

---

2. Ce n'est pas seulement le thorax mais aussi la bouche, le nez, la gorge, les épaules et le ventre qui participent à la respiration. Le massage du visage et du cou favorise la détente respiratoire ; vous l'observerez à l'expérience.

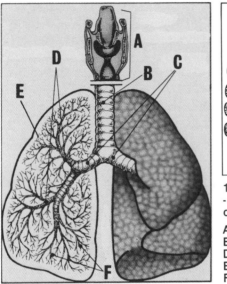

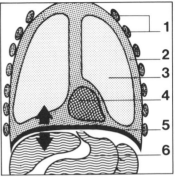

1 : côtes - 2 : plèvre - 3 : poumon
- 4 : cœur - 5 : diaphragme - 6 : vis-
cères.

A : larynx, trachée, artère.
B et C : grosses bronches.
D : petites bronches.
E : alvéoles pulmonaires.
F : bronchioles.

Le jeu du diaphragme est primordial pour la respiration. Lors de l'inspiration, quand il descend, il masse et mobilise activement les organes et vaisseaux du ventre, entraînant ainsi un véritable automassage interne de l'abdomen.

lui de respirer calmement et de porter son attention sur l'abdomen (ventre), de laisser l'air aller et venir.

Observez d'abord : approchez votre main réchauffée ; suivez le
rythme respiratoire de votre partenaire, d'abord à une certaine distance,
puis au contact, votre main posée sur l'abdomen. A l'inspir, laissez votre
main se soulever ; à l'expir, laissez-la descendre... et continuez ainsi.

En général, dès les premières secondes se produisent un relâchement
et une respiration plus ventrale et plus profonde qu'à l'accoutumée. La
respiration se ralentit, le calme s'installe.

d) Bouche et nez

Pour ce travail, il est bon de demander à la personne au sol (3) de respirer par la bouche, au moins le temps de l'expiration. La respiration par le nez est plus cérébrale et « inspire » des idées ; elle est moins favorable à l'abandon total.

Par le nez, l'air est réchauffé avant de pénétrer les poumons et le parasympathique est stimulé. Par contre, La respiration par la bouche permet de relâcher plus facilement le ventre (4), de se relaxer plus profondément et d'entrer en relation avec ses émotions.

Accorder les respirations, c'est trouver un compromis entre les deux partenaires. Pour le « manipulateur », il est préférable d'inspirer par le nez (se charger) et d'expirer par la bouche. N'hésitez pas à laisser « sortir » votre souffle d'une manière sonore ; cela peut aider votre partenaire.

Enfin, vous devez être bien au calme, centré. Exercez-vous seul.

N.B. : pour mieux comprendre et faire comprendre l'expiration profonde, faites-en la démonstration à l'aide d'une petite glace tenue à quelques centimètres de la bouche : expirez en embuant la glace.

2. Exercices

Dans quel état êtes-vous le mieux, le plus relâché :
— Pendant et tout de suite après un « inspir » ?
— Pendant et tout de suite après un « expir » ?

Au sol, allongé et détendu, levez l'avant-bras, coude et bras au sol, et laissez tomber en abandonnant votre avant-bras à la pesanteur, au moment :
— de « l'expir » ;
— de « l'inspir ».

Dans quel cas vous sentez-vous plus « facile » ? Observez et sentez le lien entre expiration et relâchement.

---

3. En principe, vous le lui proposez, mais n'insistez jamais trop. Il vaut mieux qu'elle respire par le nez plutôt que de s'épuiser par la bouche à souffler comme dans une trompette. J'insiste encore, l'expiration est relâchement ; le soupir en est une bonne illustration.
4. Faites l'expérience sur vous-même.

Expirer pour vivre

Le soupir est une bonne illustration de cette relation entre l'expiration et le lâcher-prise. Il est inadmissible que l'on empêche l'enfant de soupirer (à l'école notamment), au même titre que de bâiller, s'étirer, roter, se laisser aller. Le cri (typique) des gosses à l'instant où ils se ruent dans la cour de récréation, exprime bien à la fois le « ras-le-bol » des tensions contenues et l'éclair salutaire de la libération.

Le bûcheron, le lanceur de poids, etc., expriment spontanément ce relâchement après une forte mobilisation d'énergie.

Ainsi, paradoxalement, **expirer c'est vivre !**

CHAPITRE IV

La relaxinésie

Le nom que j'ai donné à cette méthode originale et que vous trouverez tout au long de ce chapitre, provient de la contraction de deux mots :
— **Relaxation** : méthode consistant « à se libérer ».
— **Kinésie** : idée de mouvement.

Cette relaxation par le mouvement est obtenue grâce à l'intervention d'un partenaire qui mobilise et manipule toutes les parties du corps, les unes après les autres. C'est là, en quelque sorte, l'originalité de cette relaxation par rapport aux autres.

Ma « relaxinésie » est donc une synthèse de diverses techniques (que certains auront sans doute reconnues), comme les étirements shiatsu, la relaxation coréenne, les mobilisations passives kinésithérapiques, etc. J'ai, en effet, extrait et développé ce qui m'a paru l'essentiel de chacune d'entre elles, afin d'en faire une méthode à la portée de tous et non moins efficace pour autant.

1. Une relaxation-contact

Tout le monde a la possibilité de laisser aller ses bras, ses jambes, d'abandonner sa tête, mais peu de personnes parviennent à le faire spontanément. Inconsciemment ou consciemment, de nombreuses raisons objectives nous font adopter des attitudes résistantes :
— *« Mon bras est-il bien tenu ? Ne va-t-on pas le lâcher ? »*
— *« Si je m'abandonne, est-ce que je reste sensible ? »*
— *« Si je me laisse complètement aller, que va-t-il sortir de moi ? »*
— *« Si je ne maîtrise plus, vais-je pouvoir revenir à la réalité, vais-je mourir ? »*

La confiance que l'on accorde à l'autre est d'une extrême importance ; s'abandonner dans les bras de l'autre, oui... peut-être... mais pas avec n'importe qui ! Pour cette raison, quand je fais ce travail avec un groupe, je le fais précéder de quelques exercices de conscience corporelle, de mise en confiance, de prise de contact entre les personnes.

Il faut savoir aussi que lors de toute expérience de détente profonde, de relaxation, le relâchement de l'activité de la personne entraîne une baisse du tonus de base et peut provoquer une sensation de froid. Il n'y a rien d'anormal à cela ; pour l'éviter, pensez à prévoir un endroit suffisamment chauffé ou à couvrir votre partenaire, au minimum les parties de son corps qui sont tour à tour au repos, et enfin à le réchauffer si besoin lors de la séance, et de toute manière à la fin, par certaines manœuvres spécifiques (voir p. 60).

a) Se préparer

Puisqu'il est beaucoup question de confiance, on préparera « l'intervention ». Sans tomber dans un rituel style « mystico-dramatique » dont s'entourent certains animateurs, peut-être serait-il opportun de mettre une petite musique, couvrant d'éventuels bruits parasites et stressants, de décrocher le téléphone. Soyez vous-même bien préparé, concentré ; ayez les mains chaudes ; prévoyez un endroit confortable, ni trop dur, ni trop mou (en principe l'épaisseur d'une couverture repliée fait parfaitement l'affaire, mais suffisamment large pour que vous soyez vous-même à l'abri de la dureté ou de la froideur du sol) ; idem pour l'éclairage : ni trop direct, ni trop obscur non plus. Bref, créez un lieu qui soit le plus chaleureux possible et le plus sécurisant.

Maintenant, votre séance peut commencer. Demandez à votre partenaire de s'allonger sur le dos parfaitement détendu, bras le long du corps, légèrement écartés, de détendre sa mâchoire inférieure, de ne rien faire... d'accepter. Avant de commencer, faites connaissance avec la personne dont vous allez vous occuper. Ne vous précipitez pas. Avec un peu d'habitude, vous pourrez vous rendre compte de ses tensions.

Observez. Sa position au sol est-elle globalement « fermée » (repliée sur elle-même) ou « ouverte » (paume des mains vers le ciel, pieds tombant vers l'extérieur, bras et jambes légèrement écartés de l'axe) ? Sa mâchoire est-elle serrée, contractée ou, au contraire, détendue, bâillant légèrement ? Le front entre les sourcils marque-t-il de l'inquiétude, des soucis ? La respiration est-elle saccadée, rapide, haute et courte ou, au contraire, tranquille, apaisée, harmonieuse ?

Observez encore : laquelle des deux jambes tombe le plus sur le côté ? La tête est-elle rejetée en arrière et le cou tendu ? Le visage est-il serein ? Et vous-même, êtes-vous calme ?

N'hésitez pas à soupirer si cela vient, relâchez-vous.

Il est préférable de commencer par le côté le plus relâché, mieux préparé à recevoir les premières manœuvres ; ensuite, l'autre côté « passera » mieux. Mais ne vous obnubilez pas à rechercher par où commencer. Souvent, on « attaque » du bon côté, tout naturellement. Faites confiance à votre intuition.

b) De l'intuition à la technique

La technique que vous allez maintenant employer ne doit pas se concevoir comme une recette. Souvent, d'ailleurs, on ne peut affirmer scientifiquement qu'il faille faire « ceci plutôt que cela » et « cela avant ceci ». C'est l'expérience, la pratique qui vous fera trouver la meilleure façon de faire en fonction de votre état du moment, de votre savoir-faire, de votre « feeling » lié directement à la personne qui est là devant vous. Les divers plans de travail que je vous propose doivent être considérés comme « schéma directeur » qui vous permettra de mieux appréhender la technique au début. Mais rappelez-vous toujours que vous devez adapter votre façon de faire aux personnes que vous serez amené à masser. Pour ma part, je procède de cette manière depuis longtemps. D'ailleurs, aucune séance n'est rigoureusement identique à une autre. On a envie d'emblée de « secouer » certaines personnes, de mobiliser plus rapidement, avec d'autres, d'agir très lentement. Puis, pour d'autres encore, on insistera plutôt sur certains mouvements, etc.

Ne soyez pas impatient, cela viendra à force de pratique.

Cette technique est faite de manœuvres simples qui, dès les premiers contacts, prennent toute leur importance. Elle ne demande pas de connaissances spéciales d'anatomie, mais plutôt des intentions et de l'attention. Pour ce travail, nous allons utiliser toutes les possibilités que nous avons de jouer avec la pesanteur. Habituellement, elle nous cloue au sol, nous contraint en permanence à garder l'équilibre par contraction des différentes chaînes musculaires. Les « ennuis » quotidiens et l'état d'alerte constant (en particulier en milieu urbain) trouvent là un terrain idéal pour s'installer sous forme de tensions, de contractions.

Appui contre l'autre.
Exemple d'un exercice de mise en
confiance.

Pour réussir le meilleur relâchement, nous allons donc « jouer » avec la pesanteur : par exemple, en faisant de petits « rouler-lâcher » sur le sol, de petits lâchers verticaux de quelques centimètres, des vibrations ou secousses associées à des étirements légers, enfin des mobilisations articulaires dans tous les axes, lentement, progressivement, patiemment, en soutenant avec l'autre main.

Dans le même esprit, on peut aussi utiliser une serviette comme soutien et faire des mobilisations type « manœuvre de poulie » (voir chap. XIV).

Enfin, progressivement, des étirements plus marqués, précédés de glissements de la main, esquissant bien l'intention de votre manœuvre, viendront compléter le relâchement en profondeur.

Sachez que chaque partie gagnée est un pas de plus vers la détente totale.

Durant tout ce travail, on portera l'attention sur l'élasticité du corps humain, de la peau et des tissus sous-jacents (muscles, vaisseaux, ligaments...), en considérant que la souplesse se gagne par relâchement des résistances et non en force, ce qui produirait l'effet inverse. On inspirera confiance constamment par des gestes assurés et patients... Quelques mots au début peuvent aider.

Pensez, lors des mobilisations, à gagner peu à peu... et de plus en plus en amplitude, en somme à bien « ouvrir » votre partenaire.

La prise doit être douce mais bien assurée afin que la personne sente que vous l'avez bien en main. Évitez les hésitations : si vous avez commencé, allez jusqu'au bout même si vous n'êtes pas dans le « bon ordre ». Les mains doivent être chaudes, prêtes, et donner confiance.

En principe, au cours des manœuvres, l'une des mains guide, crée et impulse le mouvement, l'autre soutient et maintient (comme souvent dans vos gestes quotidiens... observez !).

Enfin, et c'est très important pour l'ensemble du travail que vous faites (idem pour le massage), n'hésitez pas à impliquer directement tout votre corps dans les mobilisations que vous pratiquez et pas seulement le-bras-qui-tire-en-force.

Ainsi, par le déplacement de votre centre de gravité en balançant votre corps, le plus souvent d'avant en arrière, et par la prise que vous avez sur une partie du corps de votre partenaire, vous exercez une force, un étirement que vous pouvez moduler selon l'amplitude de votre balancement. Cette manière de faire ne demande pas une puissance excessive des bras et évite nombre de tensions parasites dans les épaules, bras, mains, doigts.

Finalement, vous trouverez peu à peu dans le balancement votre propre rythme, danse et plaisir de pratiquer.

Au début surtout, faites les manœuvres lentement pour bien sentir et faire sentir. Pensez à votre position au sol. Prenez le temps de vous installer pour chaque manœuvre, bien au sol ; évitez d'être sur la pointe des pieds, tordu, en déséquilibre ; il n'y a aucune honte à se réinstaller. Prenez le temps.

Un petit truc : vous pouvez vous exercer sur vous-même en mobilisant toutes vos articulations les unes après les autres et dans tous les axes. Cela peut vous aider à prendre conscience de tous les mouvements qu'il est possible de pratiquer sur une autre personne et à vous en souvenir.

La sensation de bien-être immédiat, de relaxation profonde (en profondeur) est due à l'action directe de cette technique sur tout l'organisme, tant sur le corps énergétique (conception orientale) que sur le corps physique (conception occidentale). Par ailleurs, cette relaxation est différente des méthodes habituelles du fait de son contact direct entre les deux personnes.

Chaque partie du corps se trouve sollicitée, mobilisée, par moments bercée et, dans son ensemble, cette « prise en main » réactualise sans doute le toucher et les premiers soins maternels.

Imprégnée d'attentions et de prévenances, cette méthode s'inscrit comme moyen privilégié pour se laisser aller, s'abandonner comme le bébé dans les bras rassurants de sa mère. C'est une relation maternante, sécurisante, favorisant un état de grande acceptation et d'ouverture que la conscience de non-danger rend possible.

c) De la technique à la théorie

Pour ceux qui désirent quelques explications plus scientifiques, je rappellerai que toutes les mobilisations, qu'elles soient passives ou actives, agissent directement sur les articulations. Elles provoquent une décompression et entretiennent les plans de glissement, favorisant en outre la sécrétion de liquide synovial.

Par ailleurs, au cours des mobilisations, les tissus (peau, muscles, aponévroses, membranes capsulo-ligamentaires, tendons) sont étirés, relâchés, stimulés. Bon nombre d'informations sont envoyées aux centres supérieurs (cerveau) à partir des nombreux récepteurs (proprioceptif) situés dans la profondeur des muscles et des tendons. Le contact direct superficiel (extéroceptif) et toutes ses informations internes (proprioceptif) concourent à l'élaboration du schéma corporel spatial. Ces mobilisations favorisent en outre l'assouplissement de tous les tissus (peau, muscles) mais, également, la circulation sanguine (1).

Les organes eux-mêmes bénéficient de cette stimulation générale par « réflexe » (les organes sont reliés à certaines chaînes musculaires par la même origine du nerf rachidien).

D'un point de vue énergétique, cette méthode permet le nettoyage des articulations, le dégagement de l'énergie qui a tendance à s'y installer, de rétablir le flux dans les canaux méridiens et d'agir sur l'ensemble de l'individu et sur son équilibre psychophysiologique.

De plus, cette technique peut être pratiquée par tous (les enfants « pigent » très vite et sont souvent très réceptifs) ; elle ne nécessite pas

---

1. Chaque muscle étiré (même lors de la contraction ou du massage) provoque un massage par pression directe sur les veines, artères et canaux lymphatiques (voir schéma).

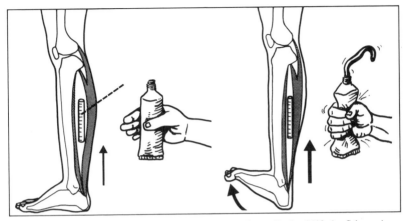

(Schéma réalisé d'après l'ouvrage : Kinésithérapie, Flammarion; collection Médecine Sciences.)

de matériel spécial (huile, table) et il n'est pas besoin de dénuder les participants.

Elle rapproche les personnes par l'écoute qu'elle demande, par la confiance accordée à l'autre, les aide à « s'ouvrir » et à mieux accepter.

En se familiarisant avec cette méthode, celui qui joue le rôle actif prend confiance en lui, se dégage de l'enfermement technique car il peut innover à souhait dans les manœuvres et, en conséquence, devenir plus créateur, apprendre à mieux utiliser son corps lors des manipulations et être, finalement, plus à l'aise (2).

Dans ce sens, la « relaxinésie » est une technique à part entière qui se suffit à elle-même, mais elle est également une excellente approche pour tous ceux qui veulent se familiariser avec le massage. D'ailleurs, à tout moment elle peut s'associer et se combiner aux manœuvres de massage proprement dites.

Je vous invite donc à pratiquer la relaxinésie régulièrement. Vous gagnerez peu à peu en aisance, en intuition et votre savoir-faire se développera.

---

2. J'utilise souvent ce type de travail dans les groupes de formation aux professions médicales, ou dans le cadre de stages de théâtre, danse, etc.

2. Une séance de relaxinésie

Sa durée est d'une trentaine de minutes mais, si vous manquez de temps, vous pouvez abréger en faisant moins de manœuvres. De même, votre séance peut durer une heure si vous en sentez la nécessité ; vous compléterez alors la séance type décrite avec d'autres manœuvres.

Votre partenaire est installé sur le sol, bien à plat sur le dos, le plus détendu possible. Avant de commencer les différentes mobilisations, réalisez « l'accord des respirations » (voir chap. III).

Puis, placez-vous à ses pieds et faites la manœuvre pour détendre et relâcher l'ensemble de son corps (photo 1). Vous allez ensuite vous occuper plus particulièrement d'une jambe (de préférence, commencez par le côté le plus détendu). Tout d'abord, les mouvements au sol (photo 3), puis les étirements sur expiration (photos 4 et 5) ; complétez enfin par les rotations (photo 2). Quand la jambe est ainsi globalement relâchée, vous pouvez vous occuper de la cheville. Pour ce faire, placez-vous sur le côté de la jointure que vous « traitez » et pratiquez tous les mouvements possibles de l'articulation de la cheville (photos 6 et 7). Pour bien la soutenir vous pouvez, par exemple, poser la jambe sur votre propre cuisse. Procédez de la même manière pour l'autre côté.

1

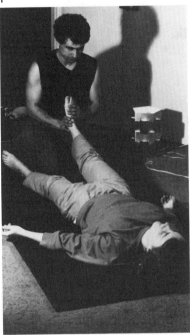

2

Petites poussées au niveau du talon vers l'avant par le poids de votre corps, imprimant des secousses-vibrations (comme une vague) à tout le corps.
Aide à bien se relâcher globalement.

Rotation de la jambe dans son axe par de petits mouvements de rotation rapide de votre poignet (genre baby-foot). Maintenez bien le pied par le talon avec la main du même côté.
Relâche l'ensemble de la jambe et détend les muscles abducteur, adducteur et l'articulation coxo-fémorale.

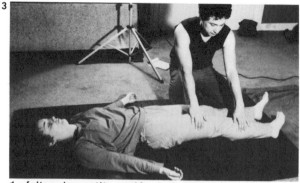

1 : faites des petits roulés de la jambe sur le sol.
2 : faites rouler la jambe vers l'intérieur... et lâchez.

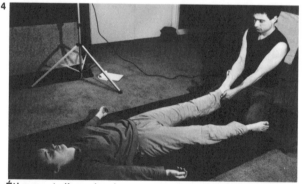

Étirement d'une jambe, progressivement, avec l'accord
des respirations, par le balancement de votre centre de
gravité en arrière.

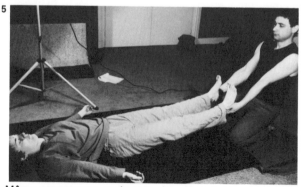

Même manœuvre, mais avec les deux jambes ensemble.

6

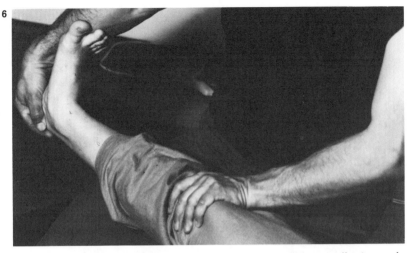

Étirement-flexion du pied en maintenant bien la jambe avec l'autre main (détend la cheville par étirement des muscles postérieurs de la jambe).

7

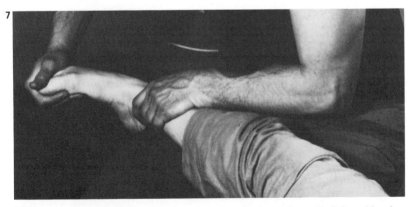

Étirement-extension identique à l'étirement-flexion (photo 6). Détend la cheville par étirement des muscles antérieurs de la jambe.
Associez à ces deux mouvements des mobilisations dans tous les plans de la cheville.

Je vous conseille de poursuivre par quelques mouvements des deux jambes associées, au sol et sur l'expiration (photos 8 et 9).

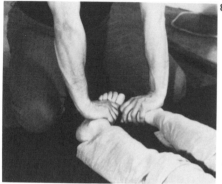

8

Torsion des jambes,
en dedans puis en dehors...

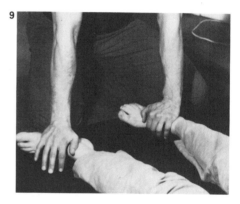

9

... puis l'une en dedans,
l'autre en dehors.

C'est maintenant au tour de toutes les articulations et muscles des hanches, bassin, colonne vertébrale, d'être pris en main. Les manœuvres appropriées sont décrites aux photos 10 à 16. Soutenez bien avec votre autre main afin de gagner en ouverture... progressivement. Faites les manœuvres sur l'expiration (photos 13 et 14), là encore très progressivement mais néanmoins fermement.

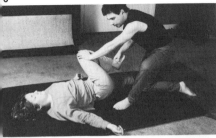

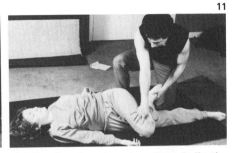

Mobilisation dans tous les plans de l'articulation de la hanche, lentement, progressivement, en soutenant de l'autre main. Pensez à bien « ouvrir ». Utilisez tout votre corps pour mobiliser plus aisément. Détend les régions de la hanche et du bassin.

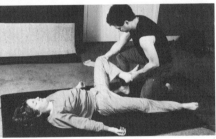

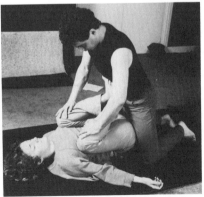

Pendant l'expiration, flexions progressives de la cuisse sur le ventre (et de la jambe sur la cuisse, du pied sur la jambe). Le ventre peut aider à pousser et le contact est meilleur.

Idem avec les deux jambes ; le bassin ayant déjà été sollicité précédemment, c'est au tour de la colonne lombaire.

Avant de passer au haut du corps, n'oubliez pas de relâcher la taille
et le ventre (photo 15) ; si les jambes de votre partenaire sont trop lon-
gues pour vous, trouvez une autre prise, par exemple en soutenant ses
jambes pliées par les genoux sur vos avant-bras, vos deux mains croche-
tées entre elles.

15   16

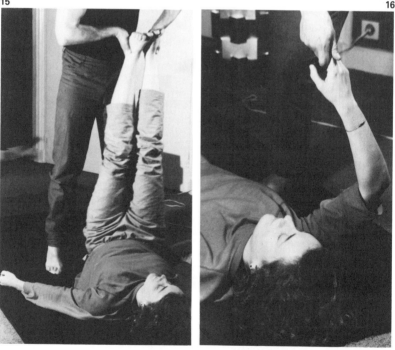

Soulevez de quelques centimètres le
bassin, en étirant les deux jambes
vers le haut, puis imprimez un mouvement latéral de « balayage ».

Mobilisation dans tous les plans possibles du bras et de l'épaule (prise à
deux doigts). Jouez avec la pesanteur
pour bien faire « lâcher » le poignet,
le coude, l'épaule.

Pour le haut du corps, je vous propose de démarrer par la prise des deux doigts (photo 16) et de faire tous les mouvements possibles que vous trouverez afin de détendre parfaitement l'épaule, les coudes, le poignet et les doigts (photos 16, 20, 21, 22 et 23).

N'oubliez pas la manœuvre « rouler la pâte à modeler » sur le sol ; elle contribue, elle aussi, à bien relâcher tout le membre supérieur (photos 17 et 18). C'est à ce moment-là que vous passez quelques instants sur le poignet et sur les doigts.

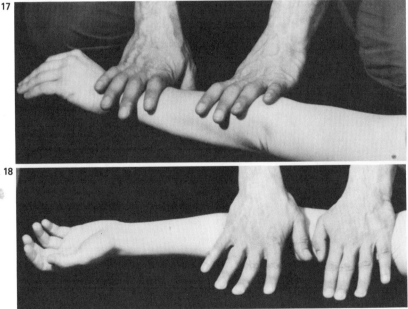

Mouvements de « pâte à modeler » : bras posé au sol, les mains se déplacent progressivement le long du bras.

19

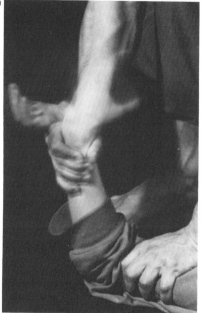

Mouvements rapides de la main ; maintenez fermement l'avant-bras sous le poignet, et le bras près du coude au sol.

20

Étirement progressif du bras vers le haut et décollement de l'épaule...

21

... en associant le décollement du dos (sans quitter la prise, vous passez de l'autre côté du corps).

 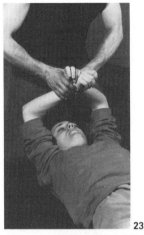

22

Double étirement des deux bras en arrière, progressivement, en balançant votre corps en arrière.

23

Mouvement « aile d'oiseau ». Une de vos mains maintient bien les deux poignets tandis que l'autre imprime un mouvement d'« aile d'oiseau ».

Enfin, pensez à réchauffer par des effleurages rapides et frictions de tout le corps, vers les extrémités des membres et jusqu'au bout des doigts.

Votre séance sera encore plus complète si vous y associez le massage des pieds (chap. VI) au moment où vous travaillez la cheville, le massage des mains (chap. VII) après la détente des bras. Après avoir recouvert le corps de votre partenaire, le massage du visage (chap. VIII) sera sans doute la plus heureuse des conclusions.

Bon courage !

*
* *

Terminez cette séance par l'abaissement des épaules (photo 25) et la détente du cou et de la tête par la manœuvre de la serviette (chap. XIV) et des étirements-massage.

24

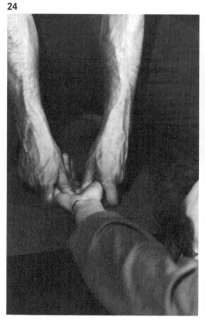

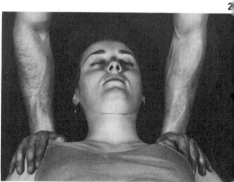

Abaissement des épaules sur l'expiration. La poussée se fait parallèlement au sol (avec l'avancée de votre corps).

Étirement d'un bras jusqu'à poser la main au sol (si possible), puis pression dans la paume. Conservez l'étirement le temps de quelques respirations.

Le massage des différentes parties du corps

OS ET MUSCLES DE LA FACE ANTÉRIEURE

Principaux os :

1 : crâne. *mandible*
2 : maxillaire inférieur.
3 : colonne cervicale.
4 : clavicule.
5 : omoplate. *(scapula)*
6 : humérus.
7 : cage thoracique, côtes.
8 : cubitus. *ulna*
9 : radius.
10 : bassin.
11 : sacrum.
12 : os du carpe. *carpals*
13 : fémur.
14 : rotule. *patella*
15 : péroné. *fibula*
16 : tibia.
17 : os du cou-de-pied. *tarsal bones*

Principaux muscles :

18 : frontal.
19 : orbiculaire des paupières.
20 : masticateurs.
21 : orbiculaire des lèvres.
22 : deltoïde. *deltoid*
23 : grand pectoral. *pectoralis major*
24 : biceps.
25 : grand oblique, muscles abdominaux. *abdominis transversalis*
26 : muscles de l'avant-bras.
27 : muscles adducteurs (internes de la cuisse).
28 : couturier. *sartorius*
29 : quadriceps (antérieur de la cuisse).
30 : mollet. *gastrocnemius*
31 : jambier antérieur. *tibialis anterior*

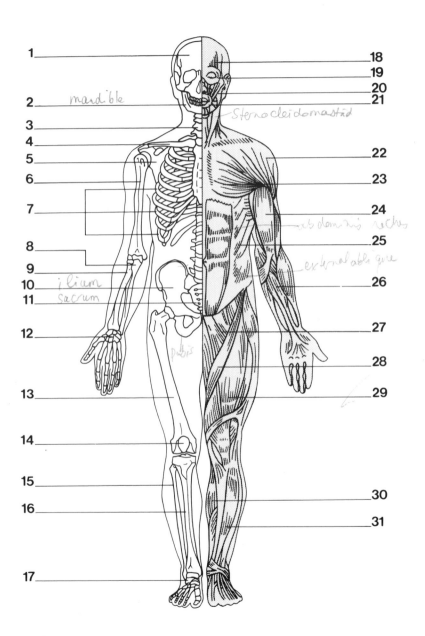

1 _____

2 _____ mandible

3 _____

4 _____

5 _____

6 _____

7 _____

8 _____

9 _____

10 _____ ilium

11 _____ sacrum

12 _____

13 _____

14 _____

15 _____

16 _____

17 _____

18 _____

19 _____

20 _____

21 _____

Sternocleidomastïd

22 _____

23 _____

24 _____

us dominis rectus

25 _____

external oblique

26 _____

27 _____

28 _____

29 _____

30 _____

31 _____

pubis

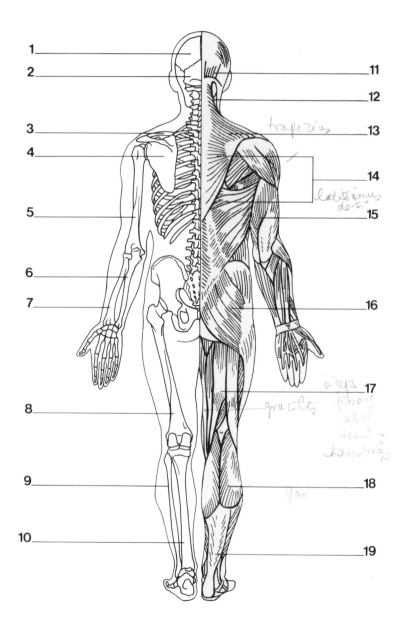

1 _____

2 _____

3 _____

4 _____

5 _____

6 _____

7 _____

8 _____

9 _____

10 _____

11 _____

12 _____

13 _____ trapezius

14 _____ latissimus dorsi

15 _____

16 _____

17 _____ biceps femoris all of them hamstrings

18 _____ glut

19 _____

gracilis

OS ET MUSCLES DE LA FACE POSTÉRIEURE

Principaux os :

1 : pariétal.
2 : occipital.
3 : clavicule.
4 : omoplate. *scapula*
5 : humérus.
6 : cubitus. *ulna*
7 : radius.
8 : fémur.
9 : péroné. *fibula*
10 : tibia.

Principaux muscles :

11 : muscle occipital.
12 : muscles de la nuque. *levator scapulae*
13 : trapèze.
14 : muscles dorsaux.
15 : triceps.
16 : muscles fessiers. *gluteus maximus*
17 : muscles postérieurs de la cuisse. *hamstrings*
18 : mollet. *gastrocnemius*
19 : tendon d'Achille. *tendon Achille*

Conditions matérielles d'une bonne pratique du massage

a) La place du massé

Si vous pratiquez au sol, veillez à ce qu'il ne soit ni humide, ni trop dur ; une ou deux couvertures repliées font parfaitement l'affaire. Pensez aussi à votre propre confort dans cette position, car vous travaillerez en grande partie à genoux. Évitez le contact direct du massé avec les couvertures (ça gratte !) et prévoyez un linge ou un drap. Ayez, à proximité de vous, un grand drap de bain pour recouvrir le massé en fin de massage.

Vous pouvez fabriquer votre propre table : 2 tréteaux et une planche en contre-plaqué de 2 cm d'épaisseur, de 1,80 sur 0,70 à 0,80 m environ.

Massé sur le ventre : si le sujet est fortement cambré, placez un petit coussin mou sous le ventre et, éventuellement, un autre sous les chevilles pour y reposer les pieds.

Massé sur le dos : coussin sous les genoux en cas de forte cambrure.

Dans tous les cas, prévoyez un endroit assez vaste permettant au masseur de circuler autour de la personne ; évitez les courants d'air, la lumière agressive, les bruits intempestifs (neutralisez le téléphone).

b) Les huiles de massage

Elles permettent une plus grande fluidité dans les mouvements (voir *Massage californien*). N'en abusez cependant pas car, à l'inverse, elles deviennent un handicap pour des manœuvres plus en profondeur : pression profonde, pétrissage, pincer-rouler, etc. Vous pouvez préparer vos huiles vous-même en utilisant une huile végétale de bonne qualité (pépins de raisin, tournesol, coco), sans odeur. Associez-y quelques gouttes d'essences de plantes (huiles essentielles) qui pénétreront aisément la peau et le derme. Choisissez-les en fonction de leurs propriétés particulières, par exemple eucalyptus, pin (affections respiratoires), lavande (peau), menthe, sarriette (effet stimulant), oranger, camomille (effet calmant) et, bien entendu, en fonction de vos goûts (parfums). Vous trouverez ces produits dans des magasins ou coopératives spécialisés.

Pour ne pas surprendre votre partenaire et pour améliorer leur fluidité, pensez à employer vos huiles légèrement réchauffées (quelques minutes sur un radiateur).

Le bon sens du massage

La question qui revient toujours est de savoir si l'on doit masser dans le « sens du cœur ».

Tout au long de ce livre, nous avons conçu le massage comme un geste harmonieux, un enchaînement continu dont la vitesse, la pression, l'ampleur et la direction peuvent varier à l'infini, les mains ne quittant pratiquement jamais le contact avec le corps. C'est pourquoi il est difficile d'affirmer qu'il y ait un sens à respecter impérativement dans le massage.

Néanmoins, lorsqu'il est très appuyé, la direction centripète sera préférable dans la mesure où elle favorise la circulation dite « de retour », circulation veineuse profonde et lymphatique : on remonte alors le membre de sa partie distale vers sa racine, « vers le cœur ». En revanche, les pressions légères se feront plutôt vers les extrémités : l'effleurage superficiel, « centrifuge ». Dans le sens du poil, cette manœuvre a un effet calmant, « déchargeant ».

Sur le ventre, on suivra le sens du transit intestinal.

La sensation est très différente entre des pressions glissées le long du dos, qu'elles se dirigent vers le sacrum ou qu'elles remontent vers la tête.

Il n'y a pas de règle absolue avec le corps humain : la variété du geste et du contact produit des effets multiples qui se combinent, interagissent, se complètent... en un mot s'harmonisent. Fiez-vous surtout à votre intuition et ne faites jamais rien avec excès. Question de bon sens en somme...

CHAPITRE V

Le massage du dos

1. Le dos, c'est majeur

C'est probablement la partie du corps où l'on accepte le plus facilement le massage et qui offre le plus de possibilités techniques et créatives. Mais le dos est aussi et avant tout le principal endroit où se fixent les **tensions dues aux tracas quotidiens.** On « endosse » des responsabilités qui demandent d'avoir « les reins solides » et « les épaules larges ». Observez un chat qui a peur : il rentre sa tête dans son dos, tend sa colonne, dresse ses poils, fait « le gros dos ». Nous aussi, par moments, nous nous « hérissons » ainsi. Toutes nos peurs, nos stress minimes mais répétés s'empilent, se tassent et se fixent sur cette partie que nous considérons comme la plus solide de notre corps.

Rappelez-vous lorsque vous avez peur, quand vous êtes excédé, l'allure que prennent votre dos et votre nuque ; beaucoup de douleurs apparaissent en période de grande fatigue et d'énervement.

Le « sur-ménage » des femmes ou le « plein le dos » permanent se projettent ainsi sous forme de douleurs sciatique, lombaire, dorsale ou cervicale, comme si les *maux* remplaçaient alors les *mots* pour exprimer le « ras-le-bol » quotidien.

Un jour, j'ai eu à m'occuper d'un enfant de 13 ans que m'avait confié une amie psychologue pour une attitude fortement cyphotique (cambrure exagérée du haut du dos, tête baissée et rentrée). Quand je l'ai vu, je n'ai pas pu imaginer, tant il avait l'air fermé et replié sur lui-même, de lui faire pratiquer les « classiques » mouvements de gymnastique corrective. Nous occupions les séances à jouer avec un ballon, à des jeux de communication ou à discuter à bâtons rompus. Peu à peu, le garçonnet accepta de s'ouvrir et de communiquer sans trop d'appréhension et, petit à petit, son dos se redressait.

Lors d'un massage général, il est plus facile « d'attaquer » par le dos. C'est en tout cas ce que la plupart des personnes choisissent dans les groupes d'apprentissage aux massages, car cette partie du corps qui a pour vocation de tout supporter apparaît d'emblée comme plus solide, plus puissante et plus résistante que les autres. Et puis, allongé sur le ventre, les organes internes, vulnérables, reposent protégés contre la table ou le sol ; le sexe est caché. Dans cette position, le visage, le thorax et la respiration ne peuvent trahir les émotions. Cette remarque vaut aussi pour celui qui masse ; il lui est quelquefois difficile de « faire face » tout de suite à l'autre.

Lorsque l'on a un peu l'habitude de toucher des dos, on s'aperçoit qu'ils sont le siège quasi constant de contractures souvent douloureuses. Rares sont aujourd'hui les personnes dont les trapèzes, par exemple, sont détendus, surtout en fin de journée. Faites-en l'expérience : appuyez sur les épaules d'un ami, vous constaterez qu'elles ont toujours tendance à se hausser.

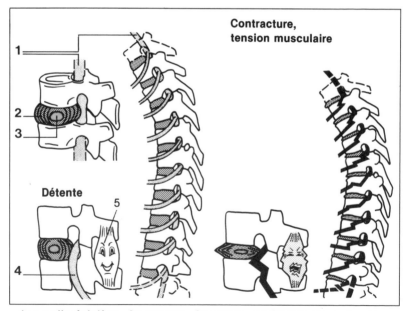

1 : moelle épinière - 2 : anneau - 3 : noyau - 4 : émergence nerveuse. L'anneau (2) et le noyau (3) forment le disque intervertébral - 5 : muscle.

Il semble (je laisse aux historiens avertis le soin de rectifier), que de nos jours on souffre toujours autant du dos qu'en d'autres époques. Qui n'a pas eu un petit « tour de reins », ressenti une « pesanteur dans le dos », un « point derrière l'épaule », l'impression de ne « plus pouvoir respirer », d'être « coupé en deux », de s'être « froissé un muscle », « coincé une vertèbre », d'avoir un « poids sur le dos » ou une « petite gêne constante », de s'être « tordu le cou » ou « brisé les reins », ou encore d'avoir le dos « comme dans un étau » ou simplement « en compote » ? Qui n'a pas pris son « petit coup de froid » dans le dos ?

Le mal du dos, « mal du siècle », est sans conteste révélateur d'un type de société qui améliore considérablement les techniques pour soigner mais qui, dans le même temps, détériore les conditions naturelles de la santé.

Souvent, les personnes se plaignant de leur dos pensent que c'est par défaut de musculature. Erreur ! **Les muscles et les tendons souffrent trop souvent par excès de tension et par raccourcissement chronique.**

Méthode Mézières

C'est grâce à la musculature du dos que nous pouvons nous tenir debout et voir à l'horizon ; nous sommes les seuls de tous les mammifères à avoir ce privilège, mais sans doute aussi autant de souffrances, car notre musculature est soumise en permanence à rude épreuve.

Françoise Mézières, qui a donné son nom à une méthode de rééducation globale, a observé que la musculature postérieure du corps souffre essentiellement d'enraidissement et d'hypertonicité. Ces rétractions musculaires accentuent, en fait, les courbures, provoquant des déséquilibres et des désordres statiques avec des répercussions bien au-delà du dos. Aujourd'hui, de nombreux kinésithérapeutes ont choisi cette méthode pour sa compréhension plus globale de l'individu.

---

2. Ses nombreux bienfaits

Quand vous vous massez le dos, vous relâchez les trapèzes ainsi que les dorsaux qui s'attachent en haubans le long de la colonne vertébrale. Ces muscles puissants ne cessent de se raidir et se tendre sous l'effet du travail et des tensions qui leur sont imposés.

En dénouant les « cordages » musculaires, le massage contribue à rendre leur souplesse aux disques vertébraux et à libérer de leur emprise les gros troncs nerveux qui passent par là. Masser le dos, c'est assouplir, détendre la colonne vertébrale, l'axe de la vie ; c'est l'allonger.

Les pressions le long des muscles paravertébraux vont intervenir directement sur les tensions musculaires, mais aussi à distance sur le corps tout entier. En effet, cette région est aussi la voie du grand méridien Vessie (qui va de la tête au pied, œil/petit orteil, et qui est en relation avec de nombreuses fonctions de l'organisme) ; et plus en profondeur sur le même trajet, heureuse coïncidence, se situe la chaîne ganglionnaire sympathique.

N'omettons pas d'ajouter que le dos est en relation par l'intermédiaire de son tissu conjonctif, avec certains organes (voir schéma, p. 72). Ainsi, **masser le dos, c'est agir bénéfiquement sur le foie, l'estomac, les reins, les intestins, la vessie... et la respiration.**

3. Comment masser le dos

Quand on aborde le massage et qu'on n'en a pas encore bien l'habitude, je propose toujours de commencer par quelques exercices de mise en confiance.

Pour le dos, quelques essais vont rendre compte immédiatement de la robustesse d'accueil de cette partie du corps. Il suffit pour cela de poser ses mains délicatement sur le dos, de basculer le poids de son corps progressivement et ainsi d'augmenter graduellement la pression, de jouer avec ce mouvement de bascule d'arrière en avant, de vous assurer que rien ne va casser, que le dos supporte votre poids et permet des manœuvres plus en profondeur. Trouvez dans ce mouvement, associé à une respiration tranquille, votre propre rythme en un balancement agréable. Une fois rassuré (je fais allusion à celui qui masse car c'est le plus souvent celui qui a peur), vous serez beaucoup plus à l'aise pour pratiquer un bon massage tant en surface qu'en profondeur.

Cette partie, large surface, inspire à poser « plus que le bout des doigts ». C'est l'occasion de vous exercer à utiliser les mains, les paumes, les poignets, les avant-bras, et même les bras tout entiers qui, pour l'autre, seront autant de contacts et de sensations d'être bien pris en main.

Utilisez tout votre corps pour faire les manœuvres, vous serez plus

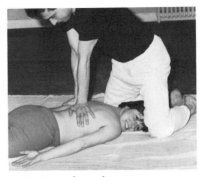

Jouez avec ce mouvement de
bascule d'avant en arrière...

vite à l'aise, vous trouverez peu à peu votre tour de main propre, un peu comme l'artisan sur son métier. Matière vivante, riche en informations, elle vous donnera le sentiment d'œuvrer et de vous réaliser pleinement (1).

Pour une première expérience de massage, je vous conseille de commencer avec une personne que vous connaissez bien et de fermer les yeux. En effet, vous serez étonné de la facilité que vos mains auront à trouver le chemin. Sans l'aide de la vue, vous augmentez d'autant plus la sensibilité d'un contact direct. D'ailleurs certaines personnes trouvent que les masseurs non voyants ont un tact particulier. Les photos vous indiquent quelques bons « parcours ». Exercez-vous et n'hésitez pas à trouver très vite, à inventer, à laisser venir des nuances, des variantes, à devenir dissident de la méthode.

Une des difficultés au début, c'est de voir large et d'aller chercher loin, au-delà de l'horizon de la partie visible que vous désirez masser. N'hésitez pas à appuyer, à masser plus en profondeur, le retentissement favorable de votre massage sera plus durable. Enfin, utilisez tout votre corps pour trouver l'aisance et le plaisir dans vos gestes, je ne cesse de le répéter...

Peu à peu, vous allez vous habituer à reconnaître des points sensibles, des contractures sous forme de « nœuds plus denses », de « cordes plus raides ». En utilisant de préférence la pulpe des doigts riche en récepteurs sensitifs, vous parviendrez à les dissoudre plus facilement par des vibrations en surface, des pressions, des ponçages. Les paumes, par exemple, sont très utiles pour presser en profondeur aidées du poids du corps

---

1. Le docteur A. de Sambucy compare certaines manœuvres sur le dos aux gestes du menuisier avec son rabot (voir ses livres publiés aux Éditions Dangles).

sur une surface plus large, là où c'est dur. Les pouces seront plus précis. Mais attention, au début n'utilisez pas trop vos doigts, vous aurez vite des crampes dans les muscles de la main. (Un petit truc bien agréable : massez-vous la main en « massant » !) Au fond, considérez le massage comme une aventure agréable.

Je vous parle du dos et je m'aperçois que j'ai omis de le situer convenablement dans l'ensemble du corps.

Parlons-nous de la même chose ? Notez qu'en langage médical on parle rarement de dos, mais de région dorsale, ce qui limite considérablement le dos à l'entourage immédiat des 12 vertèbres du même nom. On parle aussi de région cervicale plus en haut, ou lombaire plus vers le bas, ou lombo-sacrée encore plus bas !

Ne nous laissons pas piéger par la nosologie médicale, spécialisée donc très restrictive. J'ai du mal à concevoir un bon massage du dos sans masser la région lombaire (« reins ») et sans aller faire un tour du côté du sacrum et des fesses. Peut-on franchement s'occuper du dos et s'arrêter devant la nuque, son prolongement naturel ? Et la nuque sans le cou ? Et le cou sans la tête ? Alouette !...

Je suis assez bien placé pour savoir que l'on découpe constamment l'homme en rondelles, lui niant sa réalité globale, ce qui ne signifie pas

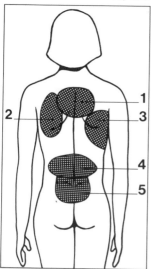

Zone du tissu conjonctif au niveau du dos.

1 : bronches, poumons.
2 : cœur, estomac.
3 : foie, vésicule.
4 : intestins.
5 : reins, vessie, zone gynécologique.

pour autant qu'il faille méconnaître l'efficacité du massage par zones. Je dirais qu'au fond tout dépend essentiellement de la manière de le pratiquer, sans oublier que les contraintes quotidiennes ne permettent pas toujours, faute de temps, de lieu adéquat ou de pudeur, le grand et merveilleux massage californien (voir chap. XI).

4. Passez à la pratique

Je vous invite donc à essayer sans plus tarder le massage avec un (ou une) partenaire que vous aurez choisi(e). Pour les conditions matérielles et d'ambiance, je vous renvoie au chapitre IV : Relaxinésie (« Se préparer ») et à la « Condition matérielle pour une bonne pratique du massage » (p. 65).

Vous pouvez masser votre partenaire sur le sol, sur une table ou même assis(e). Cette dernière position sera plutôt réservée si vous n'avez pas d'autre choix ou si vous devez insister sur la partie haute du dos (nuque, épaules) ; elle est en effet favorable pour rencontrer « confortablement » les trapèzes et les prendre bien en main (voir « Massage assis »).

Vous pouvez aussi utiliser de l'huile, du talc... ou rien si vos mains ne sont pas moites ou si la peau de votre partenaire s'y prête. Dans ce dernier cas, ne vous étonnez pas si la peau rougit plus facilement ; le frottement y est plus sensible.

Au début, il est intéressant d'essayer au moins une fois sans huile, pour mieux se rendre compte de la résistance des tissus, mieux sentir en profondeur. Évitez les crèmes et les baumes, au moins au début de votre séance, d'abord parce qu'elles vont pénétrer trop vite et ensuite rendre la peau très difficile à « travailler », et aussi parce que le massage lui-même favorise leur pénétration par dilatation des pores de la peau. Utilisez-les donc plutôt en fin de massage, elles seront plus efficaces ; en tout cas, soyez exigeant sur la qualité des produits utilisés.

Je vous propose donc de vous familiariser avec une manœuvre de base qui va vous permettre de bien marquer les contours de toute la surface du dos. Après avoir délimité en quelque sorte le territoire, tout sera plus facile (mais rappelez-vous qu'il est bon, de temps à autre, de re-marquer, de re-structurer l'ensemble en répétant cette manœuvre de base).

Peu importe réellement l'ordre. Le bon sens vous invite à commencer plutôt doucement et superficiellement ; si vous massez avec de l'huile,

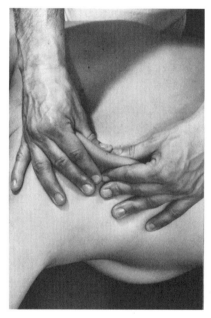

La manœuvre du « pincer-rouler », ou « palper-rouler » ou « pli-rouler ».

Manœuvres plutôt stimulantes, elles ne doivent pas faire mal. A pratiquer quand la peau et les tissus sous-cutanés sont assouplis.

Faites rouler le pli en avançant avec vos doigts (le pouce suit en poussant le pli). S'il y a trop d'huile, cette manœuvre devient impossible. Bien faite, elle laisse une brève traînée rouge qui disparaît une seconde après. A pratiquer comme des vagues qui partent de la colonne via l'axe des côtes, vers l'extérieur.

Autres possibilités :

— Le long des bords de la colonne vertébrale (gouttières), le pli est plus difficile à prendre. A faire plus délicatement car vous passez sur des points réflexes quelquefois douloureux.

— Sur toute la surface du trapèze.

Variante : décollement de la peau au-dessus de chaque vertèbre.

N.B. : les « pincer-rouler » sont efficaces aussi bien sur les contractures et douleurs articulaires que pour stimuler les zones réflexes, assouplir la peau et désenclaver la cellulite.

étalez-la sur toute la surface (effleurages légers) après l'avoir recueillie dans vos mains réchauffées.

Les manœuvres plus en profondeur peuvent venir ensuite, ainsi que les « pincer-rouler » (contrairement à leur dénomination, ils ne doivent pas être douloureux) ; pour ces derniers, il est toujours bon d'attendre que les tissus soient bien assouplis et habitués.

Répétez plusieurs fois les mêmes manœuvres en y incorporant éventuellement et progressivement quelques nuances, afin d'éviter une certaine lassitude (pour l'un comme pour l'autre). Évitez de sauter d'endroit en endroit sans arrêt ; trouvez une continuité dans vos enchaînements et gestes. Pensez aussi à alterner les rythmes, à vous attarder un peu sur les points qui vous apparaissent plus tendus.

Rappelez-vous qu'un massage lent et uniforme est plutôt calmant, voire soporifique. Rapide, il devient franchement stimulant (pensez aux scènes du massage sportif).

Et surtout, **prenez plaisir à masser ;** œuvrez.

5. Manœuvre globale de base

Pour recommencer la même manœuvre (ou continuer le massage du dos), on évitera de « sauter » des mains au dos directement, et on le retrouvera en remontant par les bras.

N.B. : cette même manœuvre de base peut se pratiquer en partant du sacrum (sans prendre les fesses) ; le masseur se trouve alors au-dessus de la taille ou sur le côté du massé (position plus classique). Il s'agit d'une pression glissée profonde, le long des gouttières vertébrales qui se terminent en haut par un pétrissage-étirement des trapèzes vers les côtés, vers les coudes et, éventuellement, jusqu'aux mains, selon que la tête du massé repose directement sur le sol (ou table) ou sur le dos des mains (voir position du massage assis).

Légendes des pages 76 et 77 :

Photos 1 et 2 : laissez descendre vos mains bien à plat le long du dos ; dosez votre pression par le balancement de votre corps, plus ou moins en avant.

Photo 3 : marquez bien l'arrondi au niveau des fesses.

Photos 4 et 5 : dans le mouvement de retour, les mains s'engagent le plus possible sous les fesses et les hanches, ainsi que sous le ventre, enveloppant ainsi parfaitement les côtés de la taille et du thorax (souvent oubliés lors des massages).

Photo 6 : les mains, les poignets et les avant-bras participent en contact direct ; le recul de votre corps permet à vos mains le retour plus harmonieux et sans secousses.

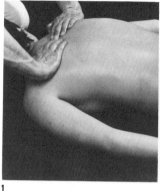

1

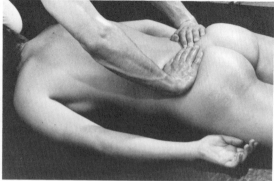

2

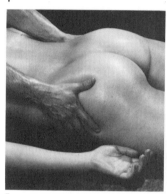

5

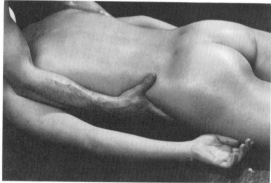

6

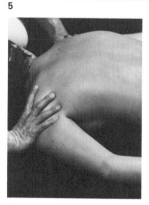

9

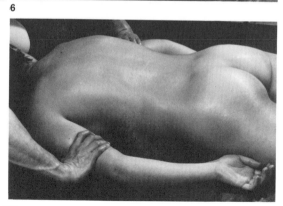

10

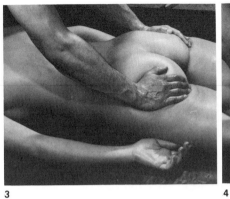

3

4

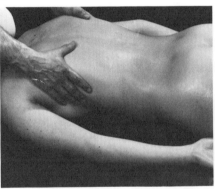

7

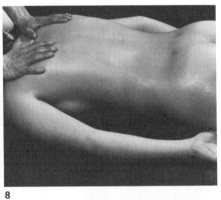

8

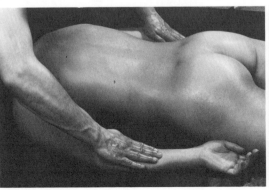

11

12

Légendes des pages 76 et 77 :

Photos 7, 8 et 9 : laissez glisser votre pouce devant le bord supérieur du trapèze pour mieux l'envelopper lors de la descente vers le bras et les épaules. Le deltoïde se trouve alors bien « empoigné » par vos mains.

Photo 10 : descendez fermement sur les dos des bras.

Photo 11 : la même chose sur les avant-bras.

Photo 12 : terminez par les paumes des mains et les doigts, en entrelaçant vos doigts éventuellement.

6. Autres manœuvres de massage du dos

Étirement de la nuque.

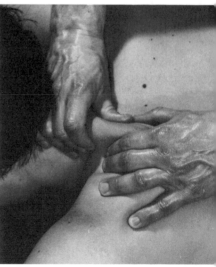

Pétrissage de la nuque. Évitez de pincer avec les doigts et utilisez la paume au maximum. Associez le pétrissage des del-toïdes.

VARIANTES

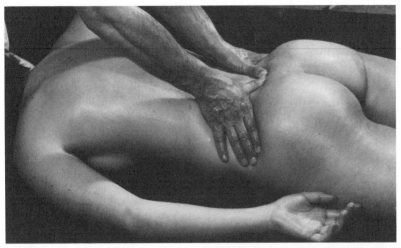

La descente vers le sacrum se fera en privilégiant une pression avec les deux pouces, le long des gouttières vertébrales. Manœuvre donc plus appuyée.

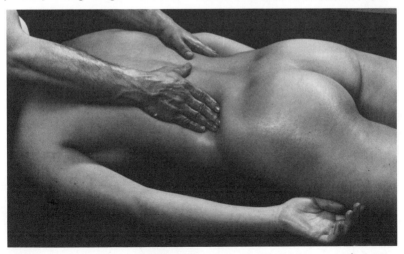

Le retour peut se faire comme pour la « manœuvre globale » ou par le milieu du dos, en « coupant » la taille et en marquant (pressant) le bord des hanches.

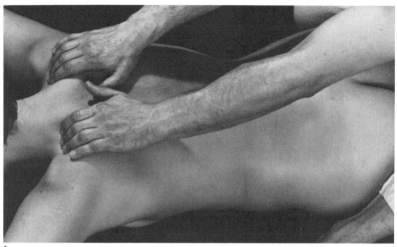

Étirement des trapèzes en arrière. « Accrochez » bien en avant les trapèzes, puis entraînez-les en arrière jusqu'au sacrum. Chaque trapèze alternativement ou les deux côtés à la fois.

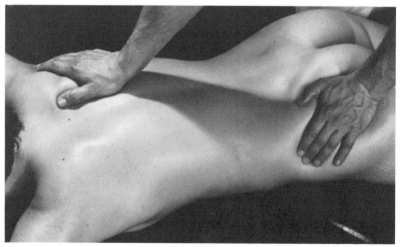

Les mains se déplacent alternativement des deux côtés du dos ; ces deux pressions glissées et opposées procurent un étirement du dos bien agréable.

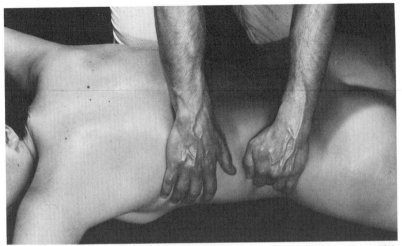

Étirements glissés des côtés (alternativement une main, puis l'autre). L'étirement se fait grâce à la bascule en arrière du corps du masseur ; les mains se déplacent sur tout le côté du thorax, taille et fessier, en allant chercher le plus loin possible les « parties non visibles ».

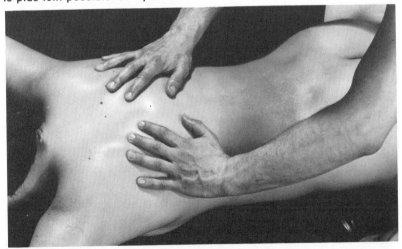

Les effleurages « en sapin » ou mouvements « pattes de chat ». Effleurages avec tous les doigts légèrement écartés, de C7 jusqu'au sacrum, alternativement de chaque côté avec les deux mains, puis des deux côtés à la fois. Dosez de plus en plus « léger ». Ces effleurages terminent agréablement un massage du dos.

7. Effets particuliers et indications

Le massage du dos contribue à assouplir la colonne vertébrale, dissout les pesanteurs et les nombreuses contractures chroniques douloureuses. Il agit bien au-delà des problèmes locaux, sur tout l'organisme par stimulation des réseaux énergétique, sympathique, parasympathique, des nerfs rachidiens et des zones réflexes du tissu conjonctif. Il est excellent pour obtenir une détente générale.

Pour les troubles respiratoires (coups de froid, bronchites), associez à votre massage de la partie haute du dos et entre les omoplates certaines huiles essentielles (pin, eucalyptus).

En relâchant les trapèzes et la région du cou, vous aiderez l'asthmatique à respirer plus détendu.

Il est le bienvenu dans les douleurs, raideurs, fatigue dans les bras, dans la nuque. Pour les maux de tête, insistez plus en profondeur sur la région de la nuque et des trapèzes.

Le massage de la partie lombaire et sacrée agit sur la fatigue des membres inférieurs, les douleurs lombaire et sciatique ainsi que sur certains troubles de la région pelvienne.

CHAPITRE VI

Massage des membres inférieurs

Le massage des membres inférieurs devrait être pratique courante. C'est en effet une technique que l'on peut acquérir très facilement et dont les bénéfices sont immédiats.

L'importance de nos « gambettes » est constamment rappelée dans de nombreuses expressions populaires : il vaut mieux être bien dans ses « guiboles » et ne pas « marcher à côté de ses pompes », être solide sur ses jambes et avoir « les pieds sur terre ». Un choc important peut vous « couper les jambes » ; minime mais répété il « vous casse les pattes ». Quand vous n'êtes pas bien, cela se traduit souvent sur vos jambes qui « flageolent », « naviguent dans du coton », le « sol se dérobe ». Enfin, localement on vous fera observer que vous n'avez pas « froid aux genoux », ou les « chevilles qui gonflent » ou encore les « doigts de pieds en éventail ». Avec « bon pied, bon œil », vous tiendrez longtemps.

Les soins que l'on apporte à ses jambes sont nombreux. Fatigué, on place naturellement ses jambes en position déclive pour les alléger, les soulager. Les bains de pieds chauds et salés sont de pratique courante pour se détendre ou se réchauffer. Les bouillottes au pied du lit n'ont pas encore fini leur temps. La médecine a son spécialiste du pied, le podologue ; pour les soins courants, le pédicure.

Dès que vous massez ses jambes (voire seulement ses pieds), votre partenaire se sent détendu. Une sensation de légèreté apparaît immédiatement ; la lourdeur, la fatigue musculaire disparaissent très vite. Pourquoi ne pas imaginer le massage des pieds comme soin quotidien par exemple, tout comme se laver les dents, prendre une tisane, etc. ?

1. Les pieds

Nous savons depuis longtemps que le massage du pied est un moyen très efficace pour soulager les personnes fatiguées par une longue marche ou par la station debout, ainsi que celles clouées au lit et en général toutes celles sujettes aux troubles circulatoires. Pourquoi ?

Parce que quand on marche, le sol exerce une pression sur la voûte plantaire comme un massage permanent, d'autant plus bénéfique que l'on marche pieds nus. Supposez une éponge qui serait pressée régulièrement à chaque pas, propulsant le flux sanguin plus haut dans les jambes et favorisant ainsi le retour veineux vers le cœur. C'est ce qui se passe quand vous marchez. En cas d'absence totale de ces stimulations, ce qui est le cas des personnes longuement alitées par obligation, ou si elles se raréfient par manque d'exercice, l'éponge plantaire ne joue plus son rôle, la stase veineuse gagne, l'œdème apparaît et engorge la cheville et la région du tendon d'Achille.

Contre la mauvaise circulation sanguine installée avec tout son cortège classique de troubles circulatoires, usez et abusez du massage du pied. Il redonne, notamment à la personne alitée, la sensation du contact avec le sol et l'image de son corps en position verticale ; grâce à lui, la réadaptation à la marche quand l'alité pourra remettre les « pieds par terre » se fera dans les meilleures conditions.

Par ailleurs, on comprend mieux aujourd'hui, et surtout depuis la découverte des zones réflexes situées sous le pied, l'action du massage des pieds sur l'ensemble de notre organisme.

En effet, le massage des pieds apporte un état de relaxation, de bien-être, de détente parce qu'il agit sur toutes les grandes fonctions de l'organisme. Aujourd'hui, il est admis, sans que l'on comprenne exactement le processus, qu'il existe une relation privilégiée entre le pied, et en particulier la voûte plantaire, et l'ensemble du corps. La réflexothérapie plantaire donne quelquefois d'étonnants résultats, en particulier lors de troubles chroniques (organiques ou fonctionnels) là où d'autres thérapies ont échoué.

Si vous le pouvez, **marchez le plus souvent les pieds nus sur un sol naturel,** vous stimulerez vos zones ; vous vous rechargerez en énergie par le contact direct avec la terre.

Sinon, massez souvent vos pieds, faites-les masser. Redonnez-leur cette souplesse et cette fraîcheur, gages de santé, que perturbent des chaussures contraignantes, le béton ou le chauffage au sol.

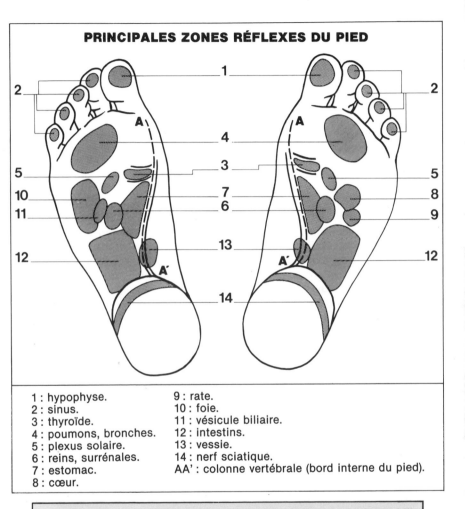

PRINCIPALES ZONES RÉFLEXES DU PIED

1 : hypophyse.
2 : sinus.
3 : thyroïde.
4 : poumons, bronches.
5 : plexus solaire.
6 : reins, surrénales.
7 : estomac.
8 : cœur.
9 : rate.
10 : foie.
11 : vésicule biliaire.
12 : intestins.
13 : vessie.
14 : nerf sciatique.
AA' : colonne vertébrale (bord interne du pied).

Commencez par détendre globalement le pied par quelques mobilisations (de type relaxinésie), puis massez le pied dans son ensemble et la voûte plantaire plus particulièrement. Pour cette dernière, utilisez des pressions et grattages avec votre paume et votre poignet. Insistez ensuite sur les points douloureux, d'abord en deçà de la douleur puis, progressivement, plus en profondeur. En dehors des zones douloureuses, passez quelques minutes systématiquement sur les zones hypophyse, plexus solaire, surrénales et colonne vertébrale. Faites les deux pieds.

Bien entendu, aucun d'entre nous ne marche pieds nus d'une manière permanente ; c'est occasionnel et il faut en profiter ; pour le quotidien, utilisez de bonnes chaussures (on commence à trouver des modèles à la fois esthétiques et confortables) ou des sandales. Ramassez quelques galets lors de votre prochaine virée à Étretat ou des marrons (1) et, chez vous, tous les matins, régulièrement, au moment de votre toilette, piétinez-les… le souvenir aidant et avec un peu d'imagination… « *Il est revenu le temps des vacances* »…

2. Le massage du pied

Rien de plus facile. Votre partenaire peut s'allonger confortablement sur le ventre ou sur le dos, ou s'asseoir sur le sol ou sur un tabouret… Vous-même, vous pouvez trouver une position confortable, debout si la personne est sur une table, ou assis sur un tabouret, ou encore au sol. On peut aussi pratiquer l'automassage du pied (voir chap. XII), ou bien rouler sous la plante une balle de mousse un peu dure, ou un volume cylindrique de bois, etc.

Mais vous pouvez aussi vous masser les pieds entre amis, autour d'une cheminée, à deux ou en chaîne, c'est amusant (voir chap. XIV). C'est en tout cas la seule partie du corps que l'on peut se masser simultanément à deux et dans des conditions confortables. Commencez par quelques mouvements de rotation, extension, flexion. Pensez aux petits mouvements possibles des os du tarse (torsions).

Faites également quelques mobilisations du membre inférieur tout entier pour en relâcher toutes les parties (voir relaxinésie). Frottez bien la plante avec votre paume, votre poignet ou votre poing fermé ; appuyez plus fort, pressez. Massez toutes les surfaces sans oublier les doigts de pieds et entre ceux-ci, que vous mobiliserez dans tous les sens.

Pressez et frottez le talon et ses côtés. Pincez doucement le tendon d'Achille et la peau à ce niveau, vous détendrez le mollet. Rappelez-vous qu'il faut utiliser le poids de votre corps en bascule pour donner plus de pression et vous éviterez les crampes dans vos mains. Enfin, n'oubliez

---

1. Confectionnez-vous un petit coussin rempli de marrons (ou de petits galets), juste un peu plus grand que votre pied. Vous pouvez alors vous masser les pieds en le piétinant régulièrement. De plus, les marrons… c'est très bon pour la circulation !

pas la partie dorsale (le dessus du pied) que vous masserez ou frictionne-rez plus délicatement (ça pince un peu).

En dehors de l'action précédemment décrite sur les zones réflexes, sur les muscles, tendons, circulation veineuse, ce sont également les six méridiens du membre inférieur (foie, vésicule, rate-pancréas, estomac, vessie, reins) qui sont ainsi stimulés.

3. Le massage des jambes

Le massage du pied peut se concevoir seul ; en revanche, pour le massage des jambes, il est fort conseillé d'y associer celui des pieds.

Quand vous massez les membres inférieurs, utilisez tout le mouve-ment de votre corps pour aider vos mains à se déplacer. Vous pouvez aussi commencer par quelques manœuvres de relaxinésie.

Pensez à soutenir, à porter, à associer étirement et massage, ainsi qu'à relier de temps à autre (par des manœuvres plus amples) les pieds aux fesses.

4. Effets particuliers et indications

En cas de fatigue générale, le massage du pied est, à lui seul, déjà très vivifiant.

Pour tous les problèmes circulatoires du membre inférieur (jambes lourdes, crampes fréquentes, œdèmes et même cellulite), le massage du pied et, si possible du membre inférieur dans son ensemble, a des effets tout à fait positifs.

Le massage spécifique des zones réflexes du pied peut agir sur bon nombre de troubles courants.

5. Comment masser les membres inférieurs

Voir photos pages suivantes.

MASSAGE GLOBAL DU MEMBRE INFÉRIEUR

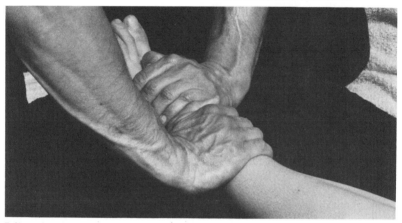

Début de la manœuvre de base sur le membre inférieur (face antérieure). Les mains remontent vers la hanche, jusqu'au pli de l'aine.

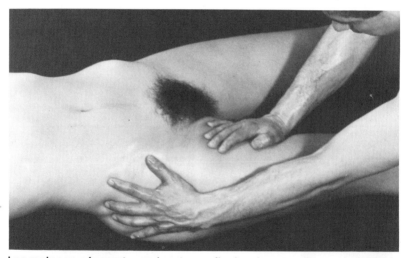

Les mains se séparent pour le retour, afin de mieux envelopper la fesse, la cuisse (faces externe et interne), puis la face postérieure des genoux et jambes... jusqu'au bout des orteils. Si vous accompagnez bien votre mouvement, vous soulèverez et étirerez légèrement et tout naturellement la jambe... pour le plus grand plaisir du massé !

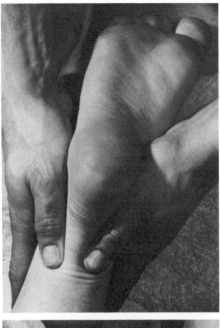

A

A : massage du bord du tendon d'Achille ; pression glissée avec les pouces.

Cette manœuvre peut se prolonger le long du mollet ; c'est alors le massage de la face postérieure de la jambe (B). Le retour se fera en soulevant légèrement la jambe avec les deux mains (C), en partie par la face antérieure et jusqu'au bout des orteils.

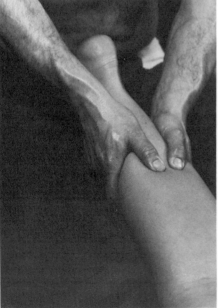

B

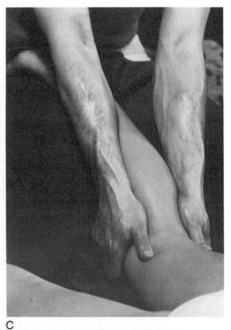

C

Massage du dos du pied. Pression glissée de la face dorsale du pied (orteils, métatarse, tendons) avec les pouces ; n'oubliez pas les côtés de la cheville (sous les deux malléoles) et les bords du tendon d'Achille avec les autres doigts.

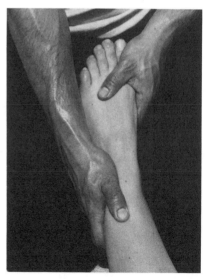

Pression glissée profonde du devant de la jambe, avec le pouce, le long du jambier antérieur (muscle ferme qui longe l'os du tibia), très sollicité car il redresse le pied à chaque pas lors de la marche.

C'est aussi le trajet du méridien Estomac. En cas de fatigue, insistez à son extrémité sur le point « célèbre » E 36, situé à 5 travers de doigts environ sous la rotule (voir chap. XII, photo 14).

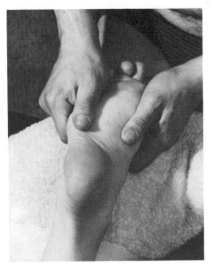
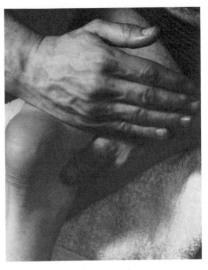

Massage de la voûte plantaire avec les pouces.

Frottement de la voûte plantaire avec le tranchant de la main (peut se faire avec la paume, le poing fermé, etc.).

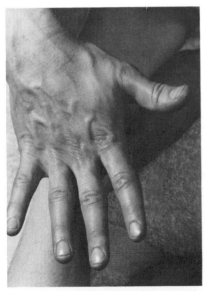

Frottement-friction du talon avec la paume (mouvement ultrarapide), faisant ballotter le pied et le mollet.

Frottement des deux côtés du talon avec les deux paumes bien serrées.

Pétrissage de la fesse.

Autre manœuvre : pression profonde avec la paume de la main ou avec le pouce autour de la tête du fémur.

CHAPITRE VII

Massage des membres supérieurs

La main, comme acteur principal du massage, mériterait de ce seul fait toute notre attention. Mais c'est dans tous les gestes de la vie quotidienne que l'on peut saisir son importance.

En quoi l'homme est-il vraiment différent des autres participants au règne animal ? C'est sans nul doute par la taille de son cerveau mais aussi par ses mains.

Ce qui différencie les extrémités des membres supérieurs de l'homme de celles des autres animaux, c'est à la fois leur très grande mobilité et l'adresse incomparable que leur confère un pouce opposable aux autres doigts, pouce rendu plus performant encore par le mouvement particulier d'enroulement de l'avant-bras sur lui-même ; ce mouvement, à ma connaissance unique, de l'espèce animale, est appelé **pronosupination.** Ce vocable peut paraître bien compliqué, mais il indique simplement notre capacité à pouvoir tourner le bouton d'une porte, à écrire et, d'une manière plus générale, à se servir de divers outils. Ainsi, nous « pronons » et nous « supinons » à longueur de journée !

En tout cas, c'est grâce à ces particularités que les extrémités des membres supérieurs de l'homme ont été son premier outil de travail. Si elle permet l'habileté dans le geste, la main est aussi un outil de perception, le siège d'un des cinq sens qui nous permettent d'appréhender les autres et le monde, de communiquer.

Si l'homme n'a eu que plus tard l'usage de la parole, il a depuis toujours regardé, senti, entendu, goûté et touché ce qui l'entourait. Les enfants connaissent d'abord le monde par le toucher : tripoter la terre, caresser les pierres, les fleurs, essayer de retenir l'eau dans leurs mains, voire se brûler en approchant leurs mains trop près du feu, fait qui les qualifie presque toujours de « *touche-à-tout* ».

Certes, adultes, nous pratiquons également cette approche tactile naturellement et sans nous étonner ; souvent pourtant, nous négligeons et ignorons cette qualité première de contact direct, lui préférant une approche plutôt visuelle de la vie.

Le toucher, comme le goût et l'odorat, est un sens plus intime qui, à ma connaissance, n'a jamais subi une codification plastique, esthétique, voire sociale, contrairement à la vue et à l'ouïe, par exemple ; de ce fait, il nous est plus personnel.

C'est en particulier dans la pulpe des extrémités des doigts que se concentrent un grand nombre de récepteurs sensitifs qui en font les véritables antennes du toucher, sensibles à la forme des objets aussi petits soient-ils, aux moindres variations de température, à la douleur comme au plaisir...

Pour mieux percevoir ces facultés, faites cette expérience : sur la pulpe de l'un de vos doigts, placez deux pointes d'épingle, très proches l'une de l'autre, à 2 ou 3/10 de millimètre de distance seulement ; vous percevrez très nettement chacune des deux piqûres. Essayez de faire la même chose sur une autre surface de votre corps, sur le dos par exemple ; là vous ne percevrez pas la sensation de deux piqûres et vous vous rendrez compte que pour les percevoir aussi nettement que sur le doigt, il faudra entre elles une distance de 5 à 10 fois supérieure.

1. La main... son massage sans limites

Comme pour le pied, le massage de la main peut être abordé très facilement. Il a l'avantage de pouvoir être pratiqué à tout moment, ne nécessitant ni lieu, ni environnement particulier. De même, il peut se concevoir seul comme un tout en soi, car ses effets se répercutent sur l'ensemble du corps. Presser la main de quelqu'un pour le réconforter, c'est agir sur la globalité de l'individu. Vous constaterez rapidement le bien-être que l'on peut procurer par ce contact à la fois relaxant et énergétisant, en même temps que sécurisant. Votre position et celle de la personne que vous allez masser n'ont pas une importance capitale. Assis, étendu, l'essentiel est d'être bien, l'un et l'autre confortablement installés.

Par exemple, pour un confort optimal des deux, mettez-vous dans l'axe du bras (légèrement décollé du corps) du massé, laissez reposer l'avant-bras sur un coussin ou directement sur votre cuisse (1). Enlevez tous les objets parasites, tels montres, bracelets, bagues, qui peuvent entraver les manœuvres.

Il est bon de commencer par mobiliser le poignet dans tous les sens (flexion, extension, rotation). Ensuite pétrissez délicatement mais fermement, l'ensemble de la main, de façon à la réchauffer et à la rendre plus réceptive aux manœuvres locales. Il faut que tous les éléments de la main soient sollicités : muscles, tendons, articulations... très nombreux (2).

Continuez, par exemple, par les doigts ; faites travailler chaque articulation par des flexions et des extensions. Vous pouvez aussi, en partant de la racine du doigt, remonter par un mouvement en spirale (tirebouchon) jusqu'à la pulpe. Stimulez aussi la partie entre deux doigts par des pressions glissées ; attardez-vous un peu sur la partie située entre le pouce et l'index, toujours douloureuse, puis descendez un peu plus bas pour pétrir la masse musculaire qui actionne le pouce (l'éminence Thénar) ; elle en a bien besoin !

N'oubliez pas la jointure du poignet ; elle nécessite d'être massée et mobilisée afin de l'assouplir et de dégager l'énergie souvent stagnante à ce niveau.

Je vous rappelle que vous pouvez vous servir de l'ensemble de votre main et même de votre avant-bras pour masser ; utilisez votre poing fermé pour presser la paume ou seulement votre pouce pour des pressions plus localisées.

Glissez-vous dans chaque creux, dans chaque pli ; trouvez d'autres chemins, prenez d'autres vallées. Faites de chaque geste une petite aventure, de nouvelles découvertes. Ouvrez la paume, ouvrez encore... les lignes de vie, de chance, de cœur, quel délice ! Massez aussi le dos de la main, avec plus de délicatesse, comme pour toutes les parties du corps démunies de masses musculaires.

Très vite, vous trouverez encore plein d'autres manœuvres en laissant aller vos doigts et votre imagination. Le massage de la main est l'occasion rêvée d'innover, de rechercher, d'expérimenter, de créer, de vous amuser... dans le train, lors d'une soirée, au travail ou pendant la pause...

---

1. Au début, si vous travaillez toujours avec les doigts et le pouce, les masses musculaires de votre main vous feront un peu souffrir. N'hésitez pas à utiliser votre paume tout entière et, au passage, vous la masserez...

2. 25 jointures et 58 mouvements distincts recensés.

2. Le bras et l'épaule

Il n'est pas facile, dans un livre sur le massage, de trouver une place tout à fait logique pour le bras comme pour chaque autre élément du corps. En effet, si dans sa partie inférieure, il s'articule avec la main, son attache supérieure, l'épaule, est en relation étroite à la fois avec le dos par l'omoplate et le trapèze, et avec le thorax par la clavicule et le pectoral.

J'ai retenu la première possibilité, le bras comme « bras de levier » de la main, ce qui ne signifie pas qu'on ne puisse aller faire quelques incursions vers le dos ou la poitrine lors de son massage, bien au contraire. Mais peut-on concevoir le massage du bras sans la main ? Pour la manœuvre globale, arrondissez bien à pleines mains le contour de l'épaule et le retour vers les extrémités se fera, comme d'habitude, grâce au retrait en arrière de votre corps tout entier. La légèreté du bras vous permet de le soutenir et d'y associer un étirement.

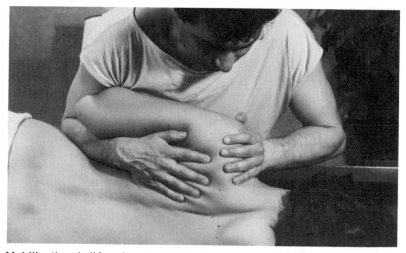

Mobilisation de l'épaule en position allongée sur le côté. Vos mains ne glissent pas sur la peau mais mobilisent l'ensemble de l'épaule (omoplate, clavicule, humérus) en faisant glisser l'omoplate sur le gril costal.

3. Comment masser les membres supérieurs

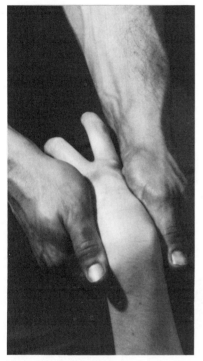 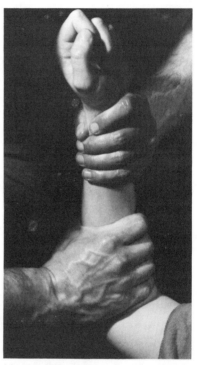

Massage du dos de la main avec les paumes et les pouces.

Massage-drainage de l'avant-bras par pression glissée en bracelet. La main droite reprend la place de la gauche, et *vice versa.*

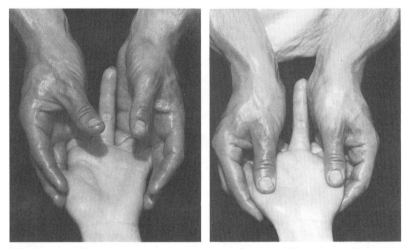

Prise particulière pour masser la paume de la main. Elle permet d'ouvrir la paume et de « donner de l'air » aux lignes de Vie, de Chance, de Tête et de Cœur.

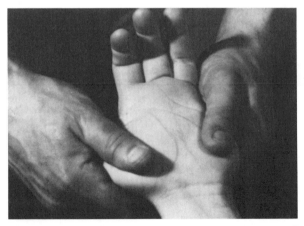

Ouvrez et agrandissez les lignes de la main ; massez les deux éminences (thénar et hypothénar).

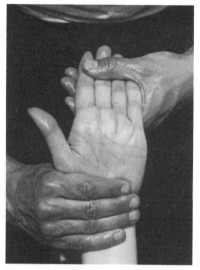 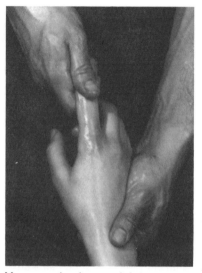

Extension des doigts, éventuellement associée à l'extension de la
main tout entière.

Massage de chaque doigt.

4. Effets particuliers et indications

    — Le massage du membre supérieur peut se concevoir comme com-
plément indispensable du massage de la nuque et du dos.

    — Il est bénéfique dans tous les cas de problèmes douloureux de
l'épaule, du coude (tennis-elbow), de troubles circulatoires et de crampes d'écrivain.

    — Le massage de la main procure toujours une détente générale et
un excellent apaisement... optimal ou de qualité.

    — Et puis, il est, par excellence, le moyen pratique de découvrir et
faire connaître le massage.

CHAPITRE VIII

Massage de la tête et du cou

De l'avis de nombreuses personnes, la tête est une partie du corps des plus délicates à toucher, non que la technique soit particulièrement complexe, mais parce que cela demande une grande attention et beaucoup de respect.

Dans une société où les écarts émotionnels ne sont guère gratifiés, nous dépensons énormément d'énergie à camoufler nos véritables sentiments. Serrer les dents, garder la tête froide pour réussir, demandent des efforts constants afin de ne pas se laisser aller à la joie, à la colère, aux larmes.

Comme le corps se dissimule derrière des vêtements, le visage s'habille d'attitudes, de mimiques, de tics ou de maquillage. Ainsi, ces « masques » que nous portons voilent, mais quelquefois dévoilent, nos sentiments intérieurs.

Afin de ne rien laisser paraître, nous contractons souvent (chroniquement) nos dents, nos lèvres, le front, les paupières, les muscles du cou, mais quelquefois ces efforts même restent vains ; il nous est difficile de ne jamais laisser filtrer une parcelle de nos sentiments en faisant les « yeux doux », en jetant des « regards fusillants », ou bien en laissant « le rouge monter à nos joues ».

C'est sans doute pour cela qu'en massant son visage, nous touchons souvent la personne au plus profond d'elle-même. Quand l'échange est bien accepté, il se crée un moment d'autant plus merveilleux qu'il est la démonstration pour l'un de toute l'attention portée à l'autre et pour l'autre de toute la confiance qu'en retour il nous prodigue.

1. La tête, un massage exquis

Aucune brusquerie ; tous les gestes seront empreints de douceur, de délicatesse, de pudeur. Les mains les plus « rudes » devront se faire félines, les plus maladroites deviendront artistes.

Ceux qui ont déjà reçu un massage du visage savent ce dont je veux parler ; c'est à la fois une sensation des plus agréables et des plus étonnantes. Peu à peu, les tensions nombreuses qui marquent le visage vont se dénouer et laisser apparaître un visage vivifié, reposé, embelli, rajeuni de 10 ans... Après un massage du visage, vous ressentirez immédiatement les bienfaits de ce véritable « massage de jouvence » et constaterez, en vous regardant dans une glace, le résultat positif du travail du masseur et de ses facultés de transformation.

Un tel massage agit sur toute la musculature faciale, muscles peauciers pour l'essentiel, et sur leurs fonctions : détente de la tête, des muscles d'expression. Il établit un contact subtil avec les 5 sens de la perception et agit directement sur les nombreux « points » des 6 méridiens Yang qui serpentent sur la tête. Son action va donc bien au-delà de la seule « partie pensante de notre être » ; on le comprend aisément d'ailleurs.

Pour beaucoup de personnes qui ont des responsabilités ou simplement des soucis, le seul moment où leur tête « les laisse tranquilles », c'est pendant leur sommeil... et encore ! Ce massage aide la tête à se vider, à expulser les pensées, idées noires, et autres, et apporte de cette façon un réel soulagement et une détente de l'individu tout entier. Avoir du calme dans la tête, comme c'est bon !

Suivez mon conseil... faites vite l'expérience du massage avec quelqu'un que vous aimez bien. Couvrez le reste de son corps. Faites enlever colliers, boucles d'oreilles, élastiques dans les cheveux, verres de contact. Pour vous, messieurs, pensez à vous raser d'abord, c'est bien plus agréable pour l'un comme pour l'autre.

Vous qui allez masser, plus que toujours, ni bagues, ni bracelets, ni montre... petite musique tranquille.

Et commencez... Faites-vous très lent, encore plus lent que d'habitude, délicat, encore plus délicat, tendre... N'employez pas d'huile ou très peu, ou encore une bonne crème choisie par votre partenaire.

Vous dessinerez, sculpterez, lisserez les contours, les creux, les plis, sans rien oublier, en vous aidant à la fois de la fine sensibilité de la pulpe de vos doigts et de la généreuse surface de la paume de votre main. Plus que jamais, laissez-vous aller à votre tempérament d'artiste.

Pour commencer ce massage, je vous conseille d'utiliser mes manœuvres de relaxinésie et celles de la « serviette » (chap. XIV) afin de détendre la nuque ; vous relâcherez plus facilement la tête. Un des premiers gestes, très utile pour le reste de la séance, est tout simplement de soulever la tête avec une de vos mains et de ramener tous les cheveux en arrière avec l'autre. Cela vous permettra de ne pas être gêné par la suite. Au demeurant, cela est très agréable et procure immédiatement une sensation de fraîcheur. Répétez cette manœuvre plusieurs fois au cours de la séance. Ensuite, posez délicatement la tête en étirant légèrement la nuque. Aidez votre partenaire à détendre sa mâchoire inférieure, renouvelez ce geste de temps à autre ; dégagez le point des soucis, entre les deux sourcils, et laissez-le filer entre les doigts, lentement... lentement.

Ensuite seulement, commencez votre œuvre : jouez avec la bascule de votre corps. Certaines manœuvres demandant que vous soyez très près de votre partenaire.

Pensez, comme pour les autres parties du corps, à relier de temps en temps la tête à la globalité du corps, par exemple à trouver une « sortie » par le cou, vers les bras, si possible jusqu'au bout des doigts ou bien par les cheveux en arrière.

Évitez la monotonie et laissez-vous aller aux fantaisies les plus délicates. N'oubliez pas les oreilles, c'est exquis. Ne laissez aucun endroit sans contact. Frottez, grattez le cuir chevelu... effilez, shampouinez, lissez les cheveux. Sur les lèvres, les doigts se feront encore plus légers... papillons sur les paupières.

Enfin, laissez votre partenaire se détendre, respirer tranquillement et restez à son côté.

2. Le massage du cou

Partie charnière entre la tête et le reste du corps, le massage du cou trouve sa place suivant le cas, que vous traitiez le dos, la tête ou les bras. J'y ai déjà fait largement allusion dans les paragraphes relatifs au *Massage du dos,* au *Massage assis* et à la *Relaxinésie*. Il est un complément indispensable du massage de la tête et je vous renvoie à ces quelques photos qui vous indiqueront comment l'appréhender à partir de la position couchée sur le dos.

3. Effets particuliers et indications

— Le massage de la tête procure un grand relâchement de l'individu. Il termine bien un massage général.

— Il est efficace dans les cas de maux de tête, migraines, sinusites, nervosité, idées noires, tics, insomnies.

— Le massage plus spécifiquement de la nuque aide à combattre les douleurs épaule-bras, cervicalgies, torticolis, dorsalgies et certains maux de tête.

— Et puis, associé à une bonne crème, le massage du visage aide à retarder l'apparition des premières rides.

— Enfin, le massage du visage est un facteur puissant du rapprochement de deux personnes.

4. Comment masser la tête et le cou

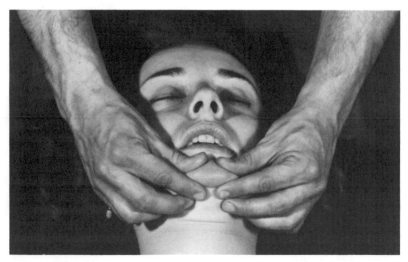

Pétrissage à deux doigts du menton. Faites entrouvrir la bouche pour détendre la mâchoire.

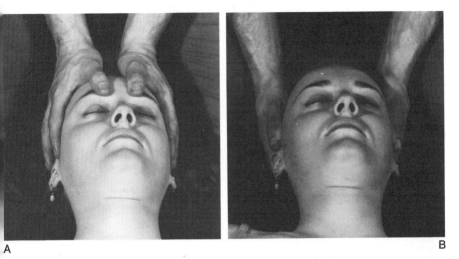

A

B

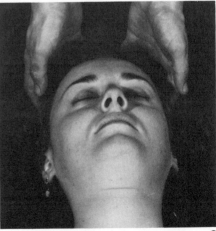

C

A : Lissage du front avec les pouces ou
la paume.
B : Trouvez une sortie... par les cheveux,
en arrière.
C : Effilage des cheveux, grattage, sham-
pouinage.

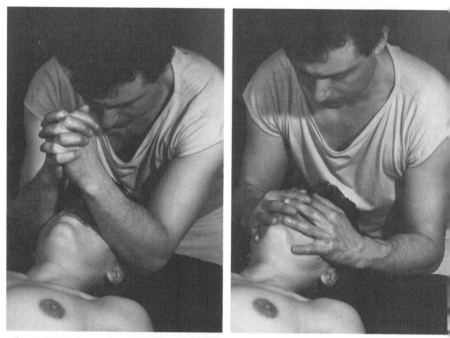

C'est toute la surface de vos avant-bras, poignets, paumes et doigts qui est en contact avec le visage.

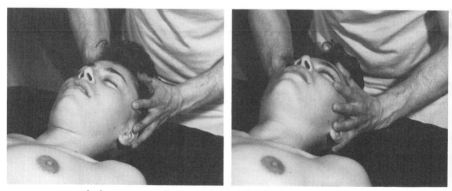

Laissez-vous aller aux fantaisies les plus délicates...

Massage-étirement de la nuque. Position inhabituelle mais délicieuse pour le massage du cou. Une main tient la tête soulevée tandis que l'autre se glisse en arrière du cou puis prend la place de la première main (massage-étirement)... qui se dégage à son tour et refait la manœuvre de la main précédente. Continuez ainsi de suite en allant progressivement chercher plus loin jusqu'entre les deux omoplates (pour cela, soulevez un peu plus la tête).

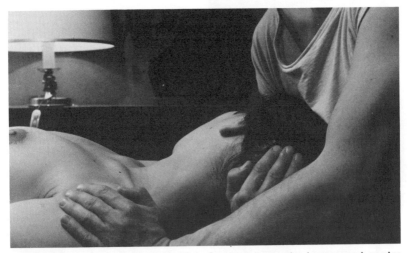

La tête repose sur votre bras droit, le front en un contact rassurant contre votre biceps. La main gauche glisse le long du cou, « accroche » et arrondit fermement l'épaule, puis retour par la partie postérieure du cou (trapèze) jusqu'aux cheveux.

CHAPITRE IX

Massage du ventre et du thorax

1. Face à face

« Gagner » le ventre, c'est gagner la confiance totale de la personne, indispensable pour procurer la détente parfaite.

A l'occasion d'un massage général, quand on demande à une personne de s'allonger, il est à peu près certain qu'elle va s'étendre sur le ventre. En effet, il est plus facile de présenter son dos que d'exposer aux premiers contacts du massage les parties de notre individu les plus fragiles, pour ne pas dire les plus intimes.

Toucher au ventre et à la poitrine, c'est entrer en contact direct avec l'ensemble de nos centres vitaux, le cerveau mis à part, que sont le cœur, les poumons et les autres organes que contient l'abdomen. C'est ici que s'affichent nos émotions : le cœur qui bat trop vite, la respiration qui s'accélère, le poids que l'on sent sur l'estomac, et tous les autres « dérangements intestinaux » qui peuvent accompagner toutes sortes de peines et d'angoisses. Le système digestif dans son ensemble est un des secteurs privilégiés des troubles psychosomatiques.

C'est aussi à ce niveau que se situe le centre de gravité du corps, que l'on retrouve en Orient sous le nom de « hara », un des « chakras » porte de l'énergie céleste. C'est le centre de gravité, mais aussi siège de l'énergie, transformateur des aliments, lieu de gestation, créateur de la vie. Notre vitalité, nos « tripes » sont ici dans leurs aspects les plus simples, primaires peut-être, mais primordiaux.

Ce qui précède nous permet de mieux comprendre qu'un grand nombre de raisons nous rendent difficile l'idée de nous faire masser cette partie du corps. Nous pouvons avoir peur de nos réactions, peur de nous dévoiler, de laisser transparaître ce que nous sommes au plus profond, au plus secret de nous-mêmes.

De même, celui (celle) qui masse peut lui (elle) aussi avoir parfois une approche différente de cette partie que des autres parties du corps, cela pour les raisons exprimées plus haut et aussi parce qu'on est plus facilement en proie à certaines appréhensions dues à l'apparente fragilité du ventre et de la poitrine.

« *Ne risque-t-on pas de casser les côtes* » et « *doit-on éviter de toucher les seins quand on masse une femme* » sont des questions que l'on peut se poser au début. Il est certain qu'il existe peu de risque de fracturer une cage thoracique : sa structure lui confère une grande souplesse grâce à sa forme courbe et ses extrémités cartilagineuses ; il faudrait un choc vraiment très violent. Quant aux seins, il faut être plus délicat encore mais, à mon avis, il ne faut pas les éviter systématiquement, sauf si cela gêne la femme que l'on masse.

Le thorax est pauvre en masses musculaires. On ne pourra donc utiliser le pétrissage que rarement et même uniquement pour les pectoraux à prendre à partir de l'aisselle, en veillant toutefois à ne pas pincer la peau et tirer les poils.

Nous avons vu que le travail sur le thorax conduit à une respiration plus calme, plus régulière, en fait une respiration « qui vient du ventre », du diaphragme, celle que nous avons naturellement pendant le sommeil, celle que nous avions bébé.

Il faut quelquefois un peu de temps et de patience, mais l'équilibre respiratoire et l'apaisement s'annonceront finalement par un grand soupir profond, voire vocal (ce que nous faisons naturellement à certains moments de la journée... et qu'on nous a bizarrement si souvent interdit durant notre enfance)...

Les manœuvres plus globales de tout l'avant du corps se feront à peu près de la même manière que pour le dos, en allant chercher loin sous la taille, de façon à bien envelopper les hanches.

Le massage du ventre est aussi délicat que celui de la poitrine, pour des raisons différentes toutefois. Car si le thorax, lui, est caractérisé par la présence d'un grand nombre d'os, le ventre le serait plutôt par l'absence de charpente osseuse. Bien décontracté, il ne présente donc aucune résistance mais, par là même, aucun appui, ce qui peut être quelque peu déroutant au début.

Pour masser cette partie, soyez patient avec les ventres résistants, très patient même sinon vous n'obtiendrez rien ; au contraire, le ventre résistera davantage sous la pression de vos mains. Posez toujours délicatement votre main (et plus que jamais réchauffée !). Aussitôt le calme respiratoire obtenu, vous pouvez commencer vos manœuvres plus spécifiques : effleurage, pression, foulage, pression profonde, pétrissage en vague, etc.

Ce massage agit de deux manières : plus en profondeur d'abord, par contact direct sur les organes de l'abdomen, foie et vésicule biliaire, sous les côtes à droite, gros côlon et intestin grêle, gros troncs collecteurs veineux qui remontent des membres inférieurs (1), mais aussi plus en surface, c'est-à-dire sur les muscles abdominaux et sur certaines zones réflexes situées dans le tissu dermique.

Enfin, patiemment mené, il procure une grande détente en relâchant le diaphragme, muscle respiratoire majeur, et en apaisant le plexus solaire.

2. Effets particuliers et indications

— Le massage du thorax et du ventre contribue généreusement à la détente profonde.

— Il calme les stressés, apaise les anxieux et renforce la vitalité générale.

— Associé à un massage interne (respiration diaphragmatique, voir chap. III), il aide la bile paresseuse, combat la constipation, stimule l'appétit.

— C'est aussi un bon massage d'appel pour la circulation sanguine et lymphatique des membres inférieurs.

---

1. Le massage du ventre peut être utilisé comme « massage d'appel » pour les troubles circulatoires du membre inférieur.

3. Comment masser le ventre et le thorax

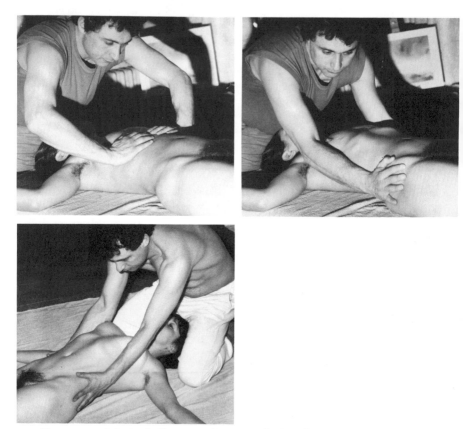

Manœuvre globale du thorax et du ventre. De la même manière que pour le dos, le retour se fera par les côtés en allant chercher loin sous la taille, de façon à bien envelopper les hanches.

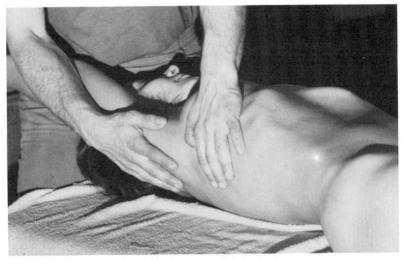

Massage-étirement des côtés du thorax.

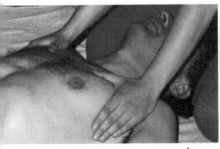

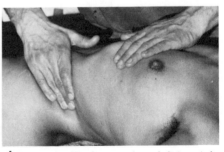

Massage-pétrissage des pectoraux. Évitez de pincer les bords de l'aisselle avec vos doigts.

Étirement glissé avec les doigts et la paume, le long de la taille.

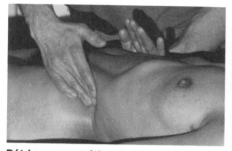 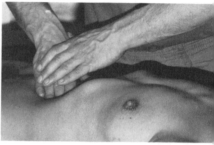

Pétrissage par étirement d'une main et **foulage** de l'autre.

Massage du ventre en petits cercles dans le sens des aiguilles d'une montre.

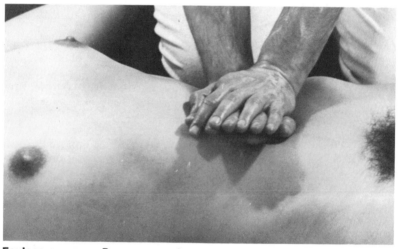

Foulage en vague. Poussez avec les paumes et ramenez avec les doigts la « vague » ainsi formée vers vous.

CHAPITRE X

Comment détendre le haut du corps
(par le massage assis)

1. La détente de la nuque

Le **massage assis** ne nécessite ni conditions particulières, ni matériel spécial ; il ne demande qu'un tabouret, une table ou un bureau, un coussin (quelques vêtements roulés en boule font parfaitement l'affaire).

Nul besoin non plus de se dévêtir complètement ; la personne massée, en position assise, pose le front sur ses deux mains, plus ou moins haut sur le coussin. Cette attitude est assez confortable à condition de trouver la bonne distance (pas trop loin du coussin ni trop courbé). Prenez donc un peu de temps pour aider la personne à s'installer et à se détendre au maximum.

Pour celui qui masse, c'est aussi une position très aisée ; il se tient debout et peut circuler librement autour du massé. C'est donc une bonne façon de masser le haut du corps, *a fortiori* quand les conditions ne permettent pas le massage au sol ou sur une table. La situation assise est très favorable à la « prise en main » des grands muscles trapèzes et de ceux du cou, mais votre massage peut également s'appliquer sur une bonne partie du dos et même sur les bras.

Les manœuvres que vous allez faire s'inspirent du massage du dos et de la nuque (voir chap. V). La séance n'a pas besoin d'être très longue et peut se répéter quotidiennement.

Dès le contact établi (pour cela, posez vos mains réchauffées sur le haut du trapèze), les premières manœuvres vont procurer rapidement une sensation d'apaisement et d'allégement des épaules.

Vous pouvez démarrer par le « massage minute » (chap. XIV), puis continuer plus en profondeur, plus en détail dans la masse musculaire. Cette zone où s'accumulent de très nombreuses tensions demande, en effet, des manœuvres plus appuyées, plus profondes qu'ailleurs. Très efficaces, ces dernières vont ébranler les contractures et les dissoudre peu à peu. Utilisez les pétrissages, les pressions glissées, les ponçages et les vibrations, surtout sur des points contracturés (avec le pouce, deux doigts ou la paume de la main). De temps à autre, renouvelez des effleurages « centrifuges » en direction des mains et des doigts.

La partie supéro-externe de l'omoplate, tout le bord supérieur du trapèze où se nichent tant de tensions, le bord osseux du crâne avec les attaches des muscles du cou et, en particulier, le point d'Arnold, sont des endroits sensibles et souvent contracturés dont il faut particulièrement s'occuper. On peut aussi s'attarder autour de la 7e cervicale (« bosse de bison ») par des manœuvres « en étoile ». Des pincer-rouler sur le trapèze sont également efficaces pour les douleurs des épaules et des bras, et les mobilisations passives de l'épaule permettent de vaincre les ultimes résistances. N'oubliez pas l'attache des pectoraux à l'avant ni les deltoïdes sur les côtés.

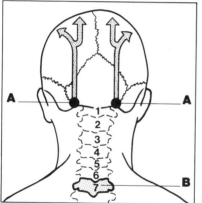

A : nerfs d'Arnold.
B : 7e cervicale (« bosse de bison »).

Pratiquez ou recevez ce massage ne serait-ce que 10 mn chaque jour ; vous constaterez alors très vite des résultats positifs sur la sensation de lourdeur des épaules, sur la souplesse du cou et des bras, sur la respiration. Cette pratique soulage souvent des maux de tête chroniques, en évite d'autres, a une action bénéfique sur les tensions consécutives au stress, sur certaines contractures réflexes d'origine digestive et sur les insomnies ; elle rend également moins irritable.

2. Comment masser le haut du corps

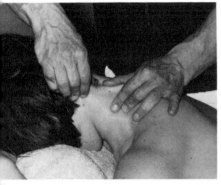

Pétrissage des trapèzes et des muscles du cou.

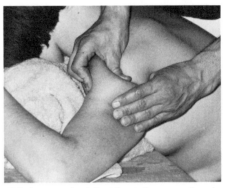

Pétrissage du deltoïde et des muscles du bras.

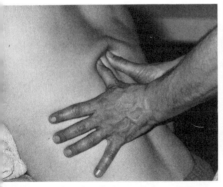

Pressions glissées le long des gouttières paravertébrales avec les deux pouces, de bas en haut.

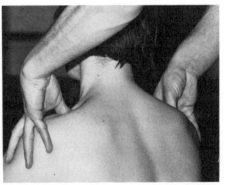

Recherche de points douloureux contracturés de la nuque ; ponçage, pression, vibration avec le pouce sur les bords supérieurs du trapèze.

CHAPITRE XI

Le massage californien

1. Un massage essentiel

A travers ce livre, vous avez sans doute déjà compris que je n'ai pas une grande sympathie pour les méthodes dogmatiques. Après trois années d'études menant au diplôme d'État de masseur-kinésithérapeute et quelques années de pratique dans les milieux médicaux, la rencontre avec le massage californien m'a tout de suite enthousiasmé. J'ai alors mieux compris toute la dimension et la richesse du massage. Libéré des techniques trop restrictives et de la distance « blouse blanche », j'ai retrouvé grâce à lui le plaisir de masser, le goût et la liberté d'innover, de communiquer.

Les manœuvres de base s'inspirent complètement de celles que je viens d'exposer dans les pages précédentes, mais l'accent sera mis sur tous les gestes qui permettent de donner une sensation d'unification, de bien-être et de plaisir.

Le massage californien tire sa dénomination du Centre Esalen (Californie) où, au départ, il était utilisé plutôt comme complément « physique » aux pratiques nouvelles de psychothérapie de groupe. Il permettait aux participants, certes de se détendre physiquement, mais surtout de mieux se sentir ensemble, de s'entraider à supporter le travail et les retombées émotionnelles des séances ; en somme, il aidait à la création d'un climat de réconfort et de tendresse mutuels. Disons qu'il est né en quelque sorte de manière informelle, en réponse à un besoin immédiat. Cette technique va être codifiée par Margareth Elke, déjà adepte du massage suédois (massage par zones) ; elle en fera finalement une méthode.

Aujourd'hui, il est adopté et de nombreuses personnes commencent à le pratiquer, chacune un peu à sa manière. Il demeure, selon moi, une technique très personnalisée, largement ouverte sur la liberté et la créativité. Il vise essentiellement au bien-être total de la personne ; ce n'est donc pas dans un sens uniquement curatif qu'il peut être utilisé, mais bien au-delà. Alors, quelles que soient les appellations, contrôlées ou pas, s'intitulant tantôt massage sensitif, psychosensoriel, tantôt massage hollistique, global, massage total, ce massage essentiel se distingue nettement du massage jusqu'alors pratiqué en Occident. Car, au-delà d'une technique précise, c'est avant tout un certain état d'esprit, une démarche particulière qui font toute la spécificité de ce massage, ce qu'au demeurant reflètent les termes utilisés.

a) Essentiel, dans les deux sens du terme

Pour ma part, j'appellerai volontiers ce « grand massage » **massage essentiel** parce qu'il l'est réellement dans tous les sens, y compris par l'emploi dans son application d'huiles essentielles d'où il peut également tirer son nom.

Encore un mot sur cet adjectif de « californien ». Le terme même de « californien », bien dans la tendance de la côte Ouest des États-Unis, suggère clairement la mise en valeur du corps, du dépassement de l'être humain... un peu le « look » californien. Il aurait eu moins de succès chez nous, et vous le comprenez aisément, s'il s'était appelé plus banalement massage « parisien » ou « berrichon », ou autre... encore que « parisien » dans le fin fond des îles Fidji... succès garanti sans doute !...

Quoi qu'il en soit, plus que dans les autres techniques, l'importance est ici accordée à la relation « massé-masseur », car le réveil des sensations vers lesquelles elle tend n'est nullement à sens unique. Elle porte en soi la notion de partage et d'échange dans sa démarche et dans sa découverte du plaisir.

b) Essentiels sont ses atouts

En effet, ce massage trouvera son plein effet grâce à cette relation privilégiée, basée sur la confiance. Elle permettra à votre partenaire d'accepter vos gestes empreints de douceur, d'attentions et de sensibilité et de s'y abandonner.

L'utilisation d'huiles essentielles permettra à vos mains de gagner en souplesse et en fluidité, de ne pas agresser les tissus et surtout de donner à votre partenaire cette sensation d'unification, de se sentir ainsi mieux, beaucoup mieux dans sa peau. Ce massage est donc à la fois liberté, sensibilité, nuances et créativité.

— Créativité par votre liberté de modeler, de créer, de vous laisser aller aux fantaisies les plus touchantes, les plus délicates.

— Sensibilité par l'écoute particulière et l'ajustement constant de vos gestes, avec ce que vous « sentez ».

— Nuances dans les gestes tantôt superficiels, effleurant, caressant et par moments, plus appuyés, agissant alors plus en profondeur dans la musculature, bénéfiques quelques jours durant.

— Nuances aussi dans le rythme, allant du très lent à effet calmant, tout en sensibilité, au plus rapide, plus stimulant donc, et réchauffant.

— Nuances encore quand vous vous attardez sur certaines parties (pieds, main, visage, tensions musculaires localisées...) ou au contraire, quand votre action tend à les relier les unes aux autres, par de grands gestes d'ensemble, très unifiants.

Créativité, sensibilité, subtilité, nuances font toute la richesse de ce massage ; on peut y associer la musique, créant ainsi un climat encore plus favorable à la détente et au bien-être recherchés. L'imagination et le rythme aidant, vos mains, votre corps travailleront alors en dansant.

A pratiquer ce massage californien, vous trouverez sûrement un très grand plaisir, plaisir et énergie que vous communiquerez à votre partenaire.

2. Effets particuliers et indications

On ne peut que le recommander à tous, tant ses effets positifs sont innombrables :

— La détente profonde, l'effacement des tensions, la décontraction des muscles, et du tissu conjonctif l'imposent chez les personnes contractées, stressées en permanence, anxieuses.

— Sa fonction de drainage du sang et de la lymphe stimule les échanges cellulaires et nettoie l'organisme.

— Sous l'effet de ce massage, l'énergie est redistribuée, harmonisée et sa circulation activée.

— Son action, extraordinairement réunifiante, met « en forme » et contribue largement à « mieux être dans sa peau ».

— Enfin, les huiles essentielles qui y sont associées ont elles-mêmes une action spécifique sur l'organisme.

Tous ces effets combinés (physique, énergétique, psychologique) en font le massage idéal pour être bien et prévenir des dérèglements de tous ordres. Et même si sa vocation première n'est pas, à proprement parler, curative, il agit sur l'ensemble de l'individu, sur le terrain et a, sans conteste, des répercussions favorables sur bon nombre de troubles.

Le massage californien, parce qu'il est communication, intuition, réhabilitation de la sensation et du plaisir, aide aussi à retrouver le goût du toucher et de la sensualité. Il peut permettre au couple de se retrouver, de sortir de la routine... Pourquoi alors ne pas l'envisager comme une approche du massage érotique ?

Chez d'autres, il participe au réveil du désir, contribue à faire retrouver goût du partage, sensibilité... N'est-ce pas redonner à la sexualité trop souvent occultée par la dictature génitale occidentale ses lettres de noblesse ?

Le mystère des parties non visibles

On constate, lors du massage californien et sans toutefois pouvoir en donner une raison objective, une sensation différente selon que sont massées les parties visibles ou non visibles de la personne.

Ainsi, la personne est étendue sur le dos ; au cours du massage, vos mains se soulèvent et se glissent pour aborder les parties du corps en contact avec la table (ou le sol). Le seul contact de ces parties « cachées à l'œil » procurent très souvent une sensation plus forte que le massage de celles « exposées directement à vos mains », phénomène observé quelle que soit la position de la personne.

Finir en beauté !

A la fin du massage, recouvrez complètement la personne (sauf la tête !) d'une grande serviette de bain (si possible préalablement réchauffée). Pressez ensuite pendant quelques secondes les deux pieds à la fois de votre partenaire. Puis, en partant de l'un des pieds, vos deux mains vont remonter et presser très régulièrement le corps dans sa totalité, en pressant et marquant (envelopper, sculpter, coller) bien chaque partie dans la serviette.

CHAPITRE XII

L'automassage (do-in)

1. Des petits gestes quotidiens

Qu'on l'appelle **do-in** (du japonais *do* : la voix, et *in* : les gestes), base d'une discipline spirituelle, ou **automassage** (plus compréhensible pour nous Occidentaux), cette méthode d'autorevitalisation, de nettoyage, de stimulation générale de l'organisme peut devenir votre technique, votre affaire personnelle. Elle offre d'innombrables intérêts.

Nous pouvons, grâce à nos mains, à certaines connaissances et à notre intuition, stimuler notre énergie vitale, réduire certaines tensions, aider au bon fonctionnement organique et même traiter quelques maux courants. Nous le pouvons car nous savons mobiliser autour des articulations, presser sur des points précis, étirer, effleurer, pétrir...

Voilà en tout cas nos moyens. Mais l'automassage permet aussi d'améliorer notre acuité sensitive et d'acquérir une meilleure connaissance de notre corps, de ses réactions et donc du corps de l'autre.

Vous pouvez le pratiquer tranquillement, comme une méditation, seul ou à plusieurs, ou comme un jeu, éventuellement y associer un fond sonore... peu importe, l'essentiel est que vous preniez conscience du phénomène : le pouvoir bénéfique de vos mains et de vos gestes sur votre organisme. Ces gestes, nous les pratiquons d'ailleurs tout au long de la journée, d'une manière spontanée, sans y prêter une attention particulière. Vous l'avez maintes fois remarqué... Une question à résoudre, un souvenir qui nous échappe : ne se gratte-t-on pas le dessus de la tête (1) ? Tracassé, on se « triture » l'espace inter-sourcils. Impatient, ce sont les mains et les doigts que l'on frotte. De même les trapèzes sont massés quand on sent un poids dans la nuque. Souvent, spontanément, on soupire, on s'étire comme un chat...

_____

1. Point chinois lié à la mémoire.

2. Comment le pratiquer

Pour vous adonner au mieux à cette technique, choisissez des vêtements confortables ; vous devez être tout à fait à l'aise et avoir la plus grande liberté de mouvements possible. De préférence, soyez à jeun, ou attendez un peu après une légère collation, le matin, dans un endroit bien aéré ou dehors. Rien n'empêche de pratiquer l'automassage en fin de journée mais, dans ce cas, il faut éliminer les manœuvres trop stimulantes.

Debout, bien planté sur le sol, jambes légèrement écartées, genoux à peine fléchis, inspirez en levant les bras en l'air, paumes vers le ciel et doigts « en antennes ». Soyez bien présent à ce que vous faites. A l'expiration, laissez calmement les bras redescendre vers le corps, « mentalisez » la prise d'air (énergie que vous captez du soleil et du cosmos). Répétez cet exercice quatre ou cinq fois.

a) Mains et bras

Commencez de préférence par les mains en ayant soin de les réchauffer et de les « charger » en les frottant vigoureusement l'une contre l'autre. Puis détendez les épaules par de petits mouvements, haussements, relâchements sur l'expir et rotations dans les deux sens.

Occupez-vous ensuite de chaque doigt en faisant tous les mouvements possibles : flexions, extensions de chaque phalange, étirements, torsions (mouvement de tire-bouchon), frottements, etc. A chacune de ces mobilisations, n'hésitez pas à aller jusqu'au bout du mouvement afin de bien « ouvrir », de faire « bâiller » les articulations ; n'omettez pas les parties situées entre les doigts, pressez-les ainsi que les extrémités près des ongles (origines et terminaisons des méridiens). Pour la paume de la main, poncez, pressez et appuyez énergiquement dans le creux, en son milieu, point de stimulation générale (c'est le « poil dans la main » des paresseux ! Voir photo 1.). Vous pouvez aussi taper avec le poing de l'autre main... si vraiment vous manquez de tonus. Pétrissez, écrasez les deux masses musculaires latérales (thénar et hypothénar) avec les doigts « en crochet » de votre autre main. Insistez sur les points douloureux, en particulier sur le dos de la main, entre le premier et le deuxième doigts, point excellent à stimuler en cas de paresse intestinale et également en cas de fatigue générale (photo 2).

D'une manière générale, insistez sur les points douloureux, bien entendu autres que hématomes, inflammations, traumatismes, etc.

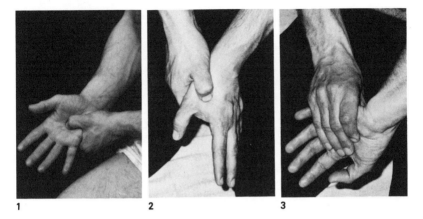

1   2   3

Pour le poignet (comme pour les phalanges), mobilisez-le dans tous les sens ; sachez que bien assouplir le poignet c'est donner de l'air et débloquer l'énergie des six méridiens du membre supérieur ; c'est aussi favoriser et permettre une plus grande aisance pour la pratique du massage. Des poignets souples et bien dégagés donnent des mains plus habiles. Ensuite, en relâchant complètement les bras, je vous suggère de secouer très rapidement la main dans tous les sens.

Au niveau du bras, frappez-le avec votre poing, souplement mais énergiquement sur les deux faces et, avec cette même main, faites-lui faire des mouvements de torsion (prono-supination) comme si vous vouliez essorer un linge (photo 3) ; sentez alors la différence entre vos deux bras. Continuez en appliquant le même « traitement » à l'autre côté.

b) Nuque

Occupons-nous maintenant des épaules et du cou ; nous allons masser et pétrir les trapèzes des deux côtés. Pour cela, vous pouvez les attraper avec les deux mains en même temps et les amener vers l'avant. Saisissez aussi les muscles en arrière du cou par une main et mobilisez la tête par de petits mouvements de droite à gauche (photo 4). Massez autour de la 7e cervicale (« bosse de bison »), pincez à nouveau.

Pour bien étirer votre cou, baissez la tête (seulement la tête), men-

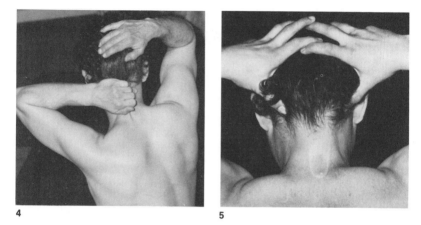

4   5

ton vers le sternum. Pour étirer les muscles antérieurs et la gorge, portez au contraire la tête en arrière, très progressivement et très doucement.

Enfin, n'oubliez pas de masser le bord du crâne, là où s'attachent les muscles du cou et le trapèze. Poncez et pressez avec le pouce ou deux doigts les points douloureux ou tendus, en particulier l'attache du nerf d'Arnold (photo 5). Ensuite, tranquillement, laissez tomber et remonter la tête, en exécutant de petits cercles dans chaque sens. Ces mouvements vous permettront de bien relâcher le cou et les épaules.

c) Tête

Vous pouvez, pour commencer, frotter les côtés du nez alternativement avec les deux index ; c'est bon pour les sinus encombrés. Pressez ensuite délicatement les contours des yeux en suivant le bord osseux au-dessus (photo 6) mais aussi en dessous de l'œil, en allant vers les tempes. La zone autour des yeux est en relation avec le foie, l'estomac, la vessie et la vésicule biliaire. Pincez les sourcils et, entre eux, le « point des tracas » (photo 7), puis terminez la manœuvre en le laissant filer lentement entre vos doigts. Étirez la peau du front avec les deux mains en direction des tempes. Faites la « manœuvre fraîcheur » (voir en fin de chapitre).

Continuez encore à vous occuper pleinement du visage ; n'oubliez pas le ponçage du point douloureux, à l'angle supérieur de la mâchoire inférieure (le muscle qui serre les dents) (photo 8). Glissez aussi sur le

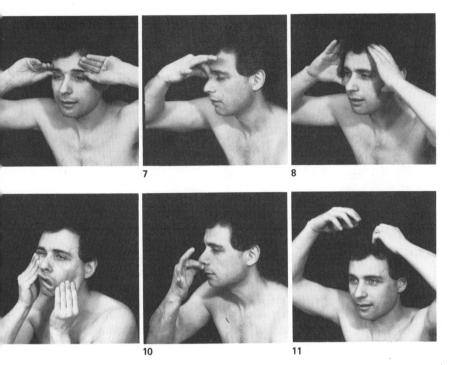

7

8

10

11

dessus des lèvres, en les frottant légèrement pour stimuler les gencives. Pétrissez les joues et le menton (photo 9). Occupez-vous aussi des muscles des yeux ; pour cela, faites rouler les globes oculaires au maximum, à droite, à gauche, vers le bas, vers le haut (yeux fermés, ça trouble moins). Et la langue ? Faites-la donc tourner dans votre bouche fermée, « sept fois » dans chaque sens. Pour les oreilles, en relation avec l'ensemble de l'organisme, stimulez-en toutes les parties (intérieures et extérieures) par des pressions-frictions sur toutes ces surfaces... Et pour réchauffer, frottez derrière les oreilles.

Ne quittez le visage et la tête qu'après avoir stimulé le point de jonction situé entre la base du nez et la lèvre supérieure (photo 10) ; c'est un point de réanimation et, en cas de « coup de pompe », vous pourrez vous donner un bon « coup de fouet ».

Au niveau du crâne, chacun d'entre vous trouvera, je pense, toutes les manœuvres possibles puisque ce sont des gestes que vous faites machinalement tout au long de la journée. Par exemple, glissez le cuir chevelu sur le crâne, tapotez la peau du crâne avec les doigts (photo 11), pressez, grattez, shampouinez, effilez, étirez les cheveux, etc. Si vous êtes à deux, faites la « manœuvre qui décoiffe » (chap. XIV) ; c'est agréable, amusant et stimulant.

Et pour terminer l'ensemble de la tête (crâne et visage), faites-en la toilette à main nue. Maintenant, grimacez en essayant de mobiliser le maximum de muscles du visage et en inventant des tas de mouvements divers et variés. Faites-le en vous amusant.

Lâchez, reposez, écoutez...

d) Pieds et jambes

Si vous avez jusqu'ici travaillé debout, asseyez-vous pour passer aux membres inférieurs, notamment aux pieds. Asseyez-vous sur le sol.

Nous allons d'abord nous occuper de la cheville et faire quelques petites rotations du pied, dans un sens puis dans l'autre, à l'aide de la main opposée. Pensez au mouvement du moulin à café de nos grand-mères. Vous pouvez réchauffer le pied, cette fois en frottant rapidement avec vos deux mains, les deux faces de chaque pied. Comme vous l'avez fait pour les doigts de la main, faites un travail avec et autour de chaque orteil. De même, prenez le temps de bien masser la voûte plantaire.

Nous avons déjà attiré l'attention sur la plante des pieds en relation directe avec de nombreuses fonctions de l'organisme ; il faut donc bien la masser. Vous pouvez aussi le faire à l'aide d'un manche à balai ou d'une balle que vous faites rouler sous votre pied.

Pour stimuler, frappez la voûte plantaire avec le poing opposé. Insistez, comme vous l'avez fait pour la main, sur les points douloureux, progressivement mais vigoureusement (photo 12).

Un petit truc complémentaire : intercalez les doigts de votre main entre les orteils du pied opposé, en somme paume contre plante. Dans cette situation, massez et frottez la voûte plantaire avec votre poignet (photo 13). Cela peut faire un peu mal, mais c'est très efficace pour assouplir les orteils. Enfin, n'oubliez pas de masser autour des deux malléoles (tibiale et péronière) ainsi qu'au bord du tendon d'Achille.

Pour les jambes proprement dites, je conseille d'en marteler gentiment toute la surface à l'aide de la paume de la main ; insistez sur le

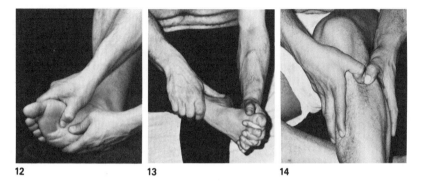

12   13   14

point important de fatigue générale et de tension dans les jambes qui se situe à peu près à 5 travers de doigts sous la rotule et à côté du bord antérieur du tibia (photo 14). Quand vous aurez terminé avec une jambe, passez à l'autre.

Ensuite, afin d'harmoniser ce que vous venez de travailler, assis, jambes allongées et détendues, faites des rotations des deux jambes « en essuie-glaces » (modèle premières 2 CV Citroën) ; les pieds divergent et convergent ensemble. Vous pouvez aussi y associer quelques impulsions rapides au niveau du genou et laisser se propager l'onde vibratoire que vous avez ainsi créée. Puis, lâchez, reposez, écoutez...

e) Dos et fesses

Plus difficiles à atteindre avec vos propres mains, je vous propose l'exercice suivant qu'il vous sera aisé de réaliser :

Mettez-vous en équilibre sur les fesses, les pieds dans vos mains ou seulement vos index « crochetant » les gros orteils. Assurez-vous qu'il n'y a pas d'objets derrière vous, puis laissez-vous aller à un petit mouvement de bascule de chaque côté, d'une fesse sur l'autre. Sentez, lors de l'appui, la pression de la fesse sur le sol. Ensuite, laissez-vous rouler sur le dos et, tout comme le mouvement de culbuto, revenez, roulez de nouveau, revenez... et roulez... et revenez... Maintenant, placez-vous à genoux. Posez vos deux mains bien à plat sur le sacrum et sur les lombes ; frottez-les vigoureusement et très rapidement pendant quelques

secondes ; vous sentirez très vite la chaleur monter dans tout le dos
(photo 15).

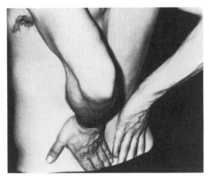

Voulez-vous continuer à vous
faire plaisir ? Alors étendez-vous
sur le dos, tête au sol, les deux jambes repliées sur le ventre. Prenez
vos genoux dans vos deux mains et
balancez-vous tranquillement d'un
côté puis de l'autre. Bercez-vous
ainsi calmement.

15

f) Thorax et ventre

Frictionnez-vous les côtés du thorax et les flancs avec vos deux mains
bien à plat, rapidement. Pour cela, dégagez largement vos épaules et vos
coudes en arrière. Tapotez le thorax avec vos doigts et pressez le sternum en descendant. Avec vos mains, massez le ventre en faisant des mouvements de rotation dans le sens des aiguilles d'une montre (photo 16),
ou encore en ramenant les flancs vers le milieu de l'abdomen (photo 17).

Et pour détendre encore davantage le plexus, quelques petits cercles
avec la paume de la main, ou des effleurages vers le nombril seront les
bienvenus (photo 18)... Mieux encore, profitez-en pour soupirer. Ensuite,
allongez-vous, lâchez, reposez, écoutez...

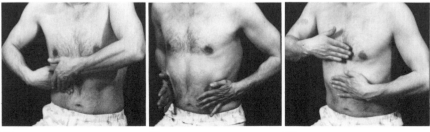

16   17   18

Avant de vous relever et si vous en ressentez l'envie, n'hésitez pas à vous étirer longuement, progressivement et dans tous les sens en pensant à toutes les ouvertures des articulations possibles, jusqu'au bâillement... ultime étirement.

Je vous engage à pratiquer **régulièrement** l'automassage, et au moins quand vous en sentez la nécessité... Même si, au début, vous devez vous contraindre un peu, faites-le, vous en ressentirez rapidement les bienfaits.

Une manœuvre fraîcheur

Les deux mains sont à plat, posées sur le visage ; elles recouvrent donc le front, les yeux et les joues et, en gardant bien le contact, elles se dirigent vers l'arrière du crâne, passent sur les oreilles et ramènent les cheveux en arrière. En se rencontrant en arrière, elles descendent et glissent le long du cou ; puis, en passant en avant des clavicules, elles terminent leur parcours au niveau de la poitrine (chassant l'énergie vers le devant). Cette manœuvre donne immédiatement une sensation de fraîcheur et de bien-être ; faites-la de préférence sur le temps d'une respiration.

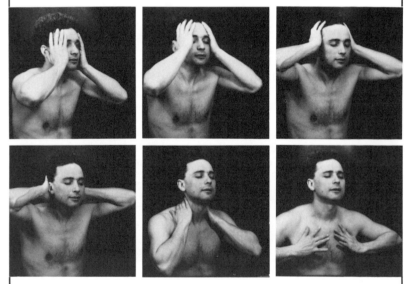

En six photos vous venez de faire connaissance avec les gestes qui constituent « ma » manœuvre fraîcheur. En vous inspirant de cette base et en utilisant vos gestes habituels spontanés, vous allez découvrir « votre » manœuvre fraîcheur, originale et personnelle.

CHAPITRE XIII

Femme enceinte, bébé, enfants, personnes âgées

Tout au long de ces pages, je me suis efforcé d'expliquer et de démontrer que le massage convient à tous, sans discrimination d'âge ou de sexe. Chacun en tirera un bénéfice personnel, et cela, quelle que soit la méthode choisie, d'une manière continue, sporadique ou occasionnelle.

Et pourtant, pour terminer, je vous propose quatre cas d'espèce, « marginaux » et « nobles », dont l'un comme l'autre mérite un « petit plus » d'attentions, de prévenance, de « doigté » oserais-je dire. Il s'agit du massage de la femme enceinte d'abord, puis de celui du bébé ; ensuite, nous verrons les enfants entre eux et, dans la coulée des générations, le massage des personnes âgées.

1. Massage de la femme enceinte

Durant sa grossesse, la femme va connaître de nombreuses modifications physiologiques pouvant entraîner ou accentuer certains troubles, dont les plus fréquents sont les douleurs lombaires et les problèmes circulatoires des membres inférieurs. Le fait de porter l'enfant vers l'avant accentue, par compensation, la cambrure lombaire. La place du bébé dans le ventre peut gêner la circulation sanguine veineuse dans cette région, et donc la perturber en amont dans les membres inférieurs.

Le massage de la femme enceinte ne sera pas fondamentalement différent de celui que j'ai indiqué dans ce livre ; quant aux manœuvres proprement dites, je vous renvoie aux chapitres concernés, notamment dos et membres inférieurs. En revanche, il faut éviter la position, peu recommandable, d'allongement sur le ventre ; c'est étendu sur le côté que le

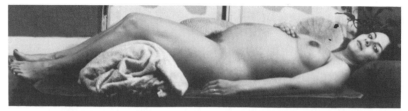

Position de repos favorable pour la femme enceinte.

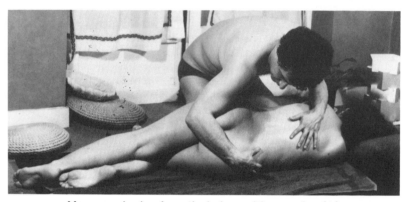

Massage du dos à partir de la position sur le côté.

dos et la région lombaire seront les plus accessibles. Cette position que je n'ai pas souvent conseillée peut vous paraître inhabituelle ; sachez pourtant qu'elle n'est pas une exclusivité de la femme enceinte. En effet, vous pouvez l'utiliser en de nombreuses occasions car elle favorise un parfait relâchement de la musculature du dos.

Le massage, outre son action directe sur la circulation sanguine et son effet décontracturant, apporte à la future mère une bienfaisante détente qui installe un sentiment de confiance avec celui (en général son compagnon) qui lui prodigue ces soins. Fait par le père du bébé, ce massage contribue au lien prénatal père/enfant ; il permet au père d'établir un contact dès avant la naissance et de participer à sa façon à la grossesse... occasion de partager physiquement cette période tout à fait exceptionnelle avec la future maman.

Bénéfique physiquement, le massage aidera le couple à s'acheminer vers le terme, dans un climat psychologique meilleur.

2. Le massage du bébé

Le massage du bébé se pratique en Inde de façon courante, en Afrique et dans bien d'autres pays éloignés où il est un peu comme un « art de vivre », souvent intégré à la vie quotidienne. Pourtant, il ne faudrait pas croire que nos « mamans » occidentales l'ignorent. En effet, la plupart d'entre elles ont des gestes spontanés envers leurs enfants, et cela dès la naissance. Qu'importe l'intitulé : caresses, câlins, soins... n'est-ce pas déjà du massage ?

En revanche, il est sûrement bien moins pratiqué par les papas et cette constatation, entre autres, est une des raisons qui m'ont poussé à en parler ici. Je dirais que masser son bébé ou son jeune enfant pourrait permettre au père de réaliser très tôt une relation physique avec son enfant, relation qui reste encore trop souvent le privilège de la mère. Pour elle, le massage peut être « prétexte » et « occasion » de rester en contact avec son enfant, en quelque sorte une manière de prolonger pour un temps le « cordon ombilical ».

Cette pratique, même si elle n'est pas quotidienne, mais fréquente voire habituelle, est de nature à aider l'enfant à se sentir mieux dans son corps, à avoir par la suite des relations plus aisées, plus « décontractées » avec les adultes et à mieux s'adapter à la réalité. J'animais un groupe de massage d'enfants ; parmi eux se trouvait une petite fille, Célestine, 4 ans 1/2, que son père massait depuis la prime enfance. On sentait chez cette enfant une attitude tout à fait naturelle face au massage, sa manière d'être, se laissant aller sans réticence avec sa partenaire âgée de 6 ans, somme toute une sensibilité remarquable et déjà transmissible.

Il n'est pas de moment précis pour masser votre bébé. Après le bain me paraît sans doute un moment privilégié, mais rien n'empêche d'en réserver un autre, en fonction de votre disponibilité ou de votre envie.

Pour le pratiquer, soyez disponible ; ne le faites pas comme une tâche contraignante, obligatoire ; dans ce cas, il vaut mieux s'abstenir. Au contraire, prenez plaisir à ce mini-massage et pendant ce court moment, vouez toute votre attention au bébé.

Comment le pratiquer

Au tout début, de la naissance et jusqu'à l'âge de 8 à 10 semaines environ, votre massage prend surtout la forme d'attouchements légers, de caresses, d'effleurages de tout le corps du bébé. L'apprentissage du toucher se fera en même temps pour les deux partenaires, lui, vous. Alors que vous vous habituerez jour après jour aux gestes efficaces et utiles, que spontanément vous perfectionnerez d'ailleurs, bébé, lui, s'habituera au contact de vos mains sur l'ensemble de son petit corps.

Comme je vous l'ai déjà indiqué dans les précédents chapitres, fermeté n'est aucunement synonyme de violence. Partant d'attouchements ultra-légers, petit à petit, votre prise, vos gestes pourront se faire plus proches en un contact plus ferme et à la fois plus enveloppant. En somme, des gestes avant tout rassurants.

Si les « à-coups » sont déconseillés dans le massage, quelle que soit la catégorie des massés, ils sont naturellement à bannir lors du massage du bébé. Aidé(e) par une chansonnette si vous vous sentez inspiré(e), vous trouverez vite un rythme adéquat, sans temps morts, sans à-coups. Mais attention, le moment que vous avez décidé de lui consacrer lui appartient et à lui seul (cette remarque n'exclut pas la présence de l'autre parent). Oubliez télé, radio, il ne faut choisir ni le moment du feuilleton, ni celui du match, ni celui des jeux radiophoniques ; on ne masse pas bébé comme on repasse son linge en regardant la télé... Ce n'est ni le moment de mettre son soufflé au four, ni celui d'allumer la Cocotte-Minute... On éloigne ou on neutralise le téléphone ; on éloigne Médor ou Minet...

Alors seulement, ce vide relatif étant fait entre vous deux (ou trois) et le reste de l'environnement, vous vous mettrez en condition pour les 5 à 10 minutes de bonheur que vous allez partager (un peu plus par la suite).

Choisissez un espace approprié, déjà connu de lui où, très vite, il reconnaîtra tel ou tel objet familier. Employons le terme de « lieu sécurisant » par opposition à « lieu inconnu » ou « nouveau », donc quelque peu angoissant pour l'enfant. Il y fera bon, suffisamment chaud, l'espace aura été aéré, débarrassé s'il y a lieu d'odeurs de fumée, etc., fenêtre ouverte si le temps le permet, selon la saison et l'endroit pourquoi pas dans le jardin ou sur la plage, mais veillez néanmoins à ne pas changer de cadre chaque jour.

Bien que le massage sur la table (ce serait alors la table à langer) peut aussi bien convenir à un bébé qu'à un adulte, pour ma part, je conseille d'abandonner cette façon de faire car je lui en préfère une autre, privilégiée elle, celle du contact direct corporel avec vous.

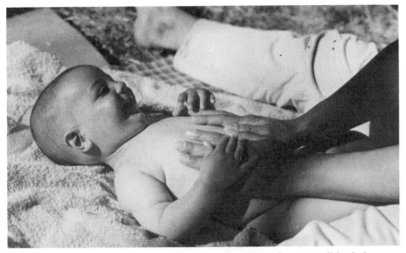

Les mains glissent et enveloppent la plus grande surface possible de la peau de bébé.

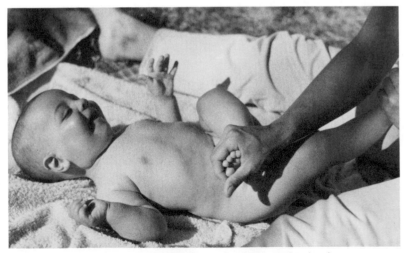

Bébé adore les mobilisations des bras et des jambes.

Aucune règle stricte, si ce n'est une position confortable pour vous (il ne faut pas que vous attrapiez mal au dos, par exemple). Assis(e) au sol recouvert d'un tapis ou d'une couverture, bébé se trouve sur vos cuisses, jambes repliées ou entre vos jambes allongées directement sur une couverture posée au sol ; dans ce cas, il est parallèle à vos jambes. Vous pouvez aussi l'installer de genou à genou. Il se trouve alors perpendiculaire à vous. Si vous le préférez, vous pouvez remplacer le sol par un divan ou un fauteuil et, si nécessaire, caler vos lombaires contre un petit coussin. Soyez naturel(le) ! La technique elle-même du massage du bébé n'est pas différente de celles décrites tout au long de ce livre : glissements,

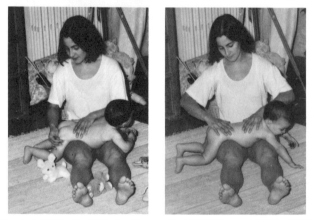

Et Bastien a quelques mois de plus... et est toujours aussi sensible !

Bébé adore les manipulations qui peuvent être présentées comme un jeu.

effleurages, les pressions des jambes et des bras avec vos mains en arceaux conviennent tout à fait, associés à des mobilisations des jambes, des bras, du tronc. Vous constaterez à quel point bébé adore ces manipulations, c'est un jeu pour lui, et combien bienfaisant !

Encore un mot : vous allez vous servir d'huile. Plus que jamais, choisissez-la très douce (par exemple d'amandes douces). Au cours des premières semaines, il faut éviter les huiles essentielles qui agresseraient la peau encore trop fragile, ainsi que les frictions à l'eau de Cologne.

3. Massage des enfants entre eux

Le massage (et particulièrement la forme « relaxinésie ») peut tout à fait être pratiqué avec des groupes d'enfants ; cette activité (comme d'autres tels le théâtre, la danse, la cuisine) pourrait trouver sa place à l'école ou au centre de loisirs. A l'heure actuelle, des instituteurs, des éducateurs, des psychologues, des assistantes sociales forment la majorité de mes stagiaires. C'est sans doute un peu pour soi-même qu'on aborde ce type de discipline mais certains l'ont déjà expérimentée dans le cadre de leur travail. Moi-même, je la pratique assez souvent avec des groupes d'enfants et même d'adolescents qui, les uns et les autres, l'apprécient beaucoup.

Mais ce que je voudrais dire en guise de préambule, c'est que mon intention n'est pas d'inciter les adultes à pratiquer cette activité systématiquement avec les enfants, et surtout pas à l'utiliser en tant que moyen (un de plus) dans l'arsenal pédagogique... par exemple comme « truc pour calmer les gosses ».

D'ailleurs l'enfant en a-t-il fondamentalement autant besoin que semble le préconiser l'adulte ? La question mérite d'être posée, car si l'on se place strictement sur le plan du besoin, reconnaissons tout de même que côté corps, spontanéité, créativité, communication... nous n'avons pas grand-chose à leur apprendre ! Force nous est de constater que ce serait plutôt l'inverse : adultes, nous nous employons à (re) apprendre ce que l'éducation a gommé chez l'enfant. Je m'appuie pour ce dire sur les nombreuses années d'expérience auprès des enfants ; elles m'ont montré que l'adulte projetait souvent, pour ainsi dire constamment, bon nombre de ses propres désirs sur les enfants, à commencer par celui de s'occuper d'eux et de gérer à leur place tout leur temps d'activité ou leur temps libre... pour leur « bon développement », bien entendu ; mais dans le même temps rarement l'adulte les laisse « livrés à eux-mêmes ».

A mon avis, chaque adulte qui propose des activités aux enfants, devrait se demander d'abord à quoi, à qui, elles servent et si leur existence même n'occulte pas un élan, une activité déjà, à l'instant même, présente chez l'enfant.

Moi j'ai envie que l'enfant connaisse le massage au même titre que les autres catégories de personnes, qu'il l'apprécie, en tire tous les profits et puisse, selon ses choix et à son tour, si bon lui semble, transmettre.

Il ne semble pas utile non plus d'introduire systématiquement cette activité comme un jeu ; je reste convaincu que le respect de l'enfant, denrée rare de nos jours, passe par l'authenticité dans nos interventions vis-à-vis de lui. Cessons donc de les infantiliser. Dans cet esprit, un atelier de massage-relaxation peut être une excellente occasion de montrer et de prouver le respect que nous leur accordons.

Si vous désirez animer un groupe avec des enfants pour participants, il suffit de le leur expliquer (le pourquoi, le comment) et cela peut se faire dès l'âge de 5 ans, voire même avant ; cette discipline merveilleuse leur est parfaitement accessible et d'autant mieux que l'enfant est plus jeune. Tout comme pour l'adulte, elle va lui permettre de découvrir son corps,

Le massage des enfants entre eux.

celui des autres, les sensations dans le mouvement, le toucher, bref une certaine qualité de plaisir.

Il est clair qu'il ne faut pas forcer les enfants, pas plus qu'on ne le ferait avec des adultes ; mais, le ferait-on avec des adultes ?

Et, puisqu'on me demande parfois ce que je fais des « chahuteurs », cette question me rappelle toujours à quel point il est difficile pour nombre d'adultes d'échapper à une certaine image de l'enfant tapageur et « oppositionnel ».

Des résistances assez fortes avec des adultes, il en existe, j'en rencontre également et assez souvent dans les stages que j'anime. Et pourtant on ne qualifie pas de « chahuteur » ni celui qui arrive en retard, ni celui qui ostensiblement parle ou fait du bruit. A comportement sensiblement identique, appréciation nuancée de la part des adultes. Deux poids, deux mesures... mais cela est une autre histoire qui, à elle seule, pourrait faire l'objet d'un autre livre !

Dans la très grande majorité des cas, tout se passe donc très bien avec des groupes d'enfants, et d'autant mieux si vous êtes vous-même convaincu et motivé. L'authenticité de votre démarche sera bien ressentie alors et acceptée par les enfants.

Nombreuses sont les sensations qui font naturellement partie de l'univers des enfants qui n'y sont donc pas encore complètement fermés ; il en ressort que leurs réactions peuvent nous apparaître quelque peu excessives, souvent plus « nature » que nous, parce que pas encore embarrassées de certains critères dits d'éducation et de savoir-vivre. Alors, livrés pour une fois à eux-mêmes, ils peuvent peut-être lâcher prise plus facilement...

Outre l'apport bénéfique de cette formidable technique déjà décrite à travers ce livre, j'ajouterais seulement, pour l'avoir tant de fois vécu, qu'un groupe d'enfants ayant pratiqué cette activité, n'est plus tout à fait le même après ; sur le plan individuel aussi, les conséquences sont quelquefois étonnantes, par exemple des rapports, des liens nouveaux et différents s'établissent entre eux... tendresse, attention, calme, réapparaissent à travers les reliefs de violence et de compétitivité qui les marquent, hélas ! déjà tant.

Ne soyez donc pas étonné qu'ayant une ou plusieurs fois participé à votre activité, il vous en « redemande » ou que, se passant de vos connaissances, il se retrouve avec un copain (ou à plusieurs) pour pratiquer à leur façon.

4. Le massage des personnes âgées

Sans discrimination aucune, notamment d'âge, ai-je écrit. Le 3e âge : on ne peut ouvrir une radio, un journal, une revue, sans qu'il en soit question. Me voilà piégé : en parler ? C'est dire implicitement qu'il mérite une attention particulière. Ne pas en parler risque d'être ressenti par certaines personnes comme un oubli, voire un manque de respect. Eh bien ! parlons-en...

De... à 99 ans, je ne fais pas la différence quand je vous prends en main. Madame, Monsieur, vous êtes aptes à recevoir des massages et, pourquoi pas, à en faire. Les méthodes, techniques, manœuvres, mes conseils, tours de main et petits trucs s'adressent à tous mes lecteurs, donc aussi à vous.

Si en quelques remarques particulières, je fais tout de même allusion non au 3e âge mais au 4e âge, c'est parce que depuis 3 ans environ, je reçois au Centre où j'assure des vacations, des personnes dont l'âge est souvent supérieur à 70 ans. Certes, leur démarche initiale est presque toujours liée à des douleurs qualifiées de rhumatismales ou dues, dit-on, à l'âge précisément ; mais petit à petit mes habitués viennent aussi chercher (et j'espère, trouver) autre chose. Un grand moment de relaxation, de détente, d'écoute. Les plus pudiques trouvent qu'une séance de massage, vers laquelle aucune douleur spécifique ne les a poussés « fait du bien ». Certains reconnaissent en ressentir et conserver quelque temps les effets bénéfiques. D'ailleurs, pour un nombre non négligeable d'entre eux, ce sera sans doute le ralentissement, voire l'arrêt de la prise d'antalgiques... du moins pour un temps.

Au demeurant, comme tous les autres massés, je vous l'ai dit, rien de très différent entre un client de 25 ans et une mamy qui en avoue fièrement 84...

En général, nous bavardons, je ne suis pas du genre muet, mais j'aime aussi qu'ils se racontent, surtout ceux qui ont tant besoin de parler...

Certains fréquentent des clubs où ils jouent aux cartes, au Scrabble et autres jeux de société. Quelques-uns passent 8 à 15 jours dans des centres de vacances de leurs caisses de retraite ; là, on brise davantage sa solitude ; on y fait des connaissances, les jeux se diversifient, les rencontres donnent lieu à des promenades...

Documentation à l'appui, quelques séjours offrent aussi des soirées musicales et folkloriques, parfois une piscine, des séances de gym, mais attention, de telle à telle heure, tel ou tel jour ! Il n'est pas rare de lire :

« *La maison dispose d'une infirmerie* » ouverte de jour et de nuit, et pour quelques-unes des maisons dites « médicalisées » (et déjà réservées aux semi-valides) un « *cabinet de kinésithérapie équipé de tout le matériel moderne* » ! Voilà donc encore une fois le massage au rang curatif (chutes, séquelles de chutes, entorses, rhumatismes, lumbagos et autres) ; vous avez droit au kiné... mais tel jour, telle heure, sur rendez-vous S.V.P.

J'ai trouvé des séjours à thème où, parmi musique, peinture, poterie, cuisine, se glissent timidement la « relaxation » et la « remise en forme », 8 à 10 jours dans l'année, c'est bien... c'est mieux que rien...

Un jour, M. X... muni de sa feuille lui ouvrant droit à 20 AMM6 (codification de massage-kinésithérapie) m'a raconté : « *Ne m'en parlez pas... ils nous ont pris pour des débiles... faites les marionnettes, l'oiseau, secouez vos mains, attrapez votre pied droit, gauche, etc.* » « *Je n'ai encore ni envie, ni besoin d'être materné* », a-t-il ajouté.

Bien sûr, si on lui avait expliqué qu'il participait à une mini-séance de do-in, si on lui avait parlé de réflexologie du pied, des bienfaits des gestes simples (et non débiles) qu'on lui demandait d'accomplir au lieu de lui en intimer l'ordre, il ne se serait pas cru revenu à la maternelle !

A chacune de ses visites, nous échangions quelques mots à propos de sa récente expérience, déception manifeste qui lui tenait à cœur.

Et un jour, j'ai revu M. X... à son domicile. En présence de sa femme, elle acquiesçant parce qu'elle y avait aussi participé, nous avons reparlé de son séjour à ... Et, à mon tour, je me suis mis à faire les marionnettes, j'ai frotté mes mains, mes pieds, le tour des mes yeux et très consciencieusement mes oreilles ; j'ai expliqué, gestes à l'appui, la circulation du sang, la respiration, la musculature contractée, le nettoyage et la stimulation générale de l'organisme, l'énergie vitale.

M. et Mme X... sont de charmantes vieilles personnes. Nous avons d'abord travaillé ensemble, puis je me suis occupé de l'énorme part de tarte qui m'était réservée et je les ai laissés agir seuls.

Et pendant qu'il faisait la manœuvre du tire-bouchon avec ses doigts et que, plus tard, elle lui triturait les épaules et le bras ankylosé, ils échangeaient des propos, à peine conscients de ma présence : « ... *il faudrait faire ça dans toutes les maisons, c'est mieux que la gym... c'est moins dur... et 10 minutes, on les trouve, le matin ce serait bien... ou quand on ne sait plus comment meubler les temps morts... on pourrait se mettre par 4... ou par 6... mais pas plus... Et pourquoi seulement en vacances ? Tiens, j'en parlerai aux Y... eux non plus n'avaient pas apprécié les marionnettes...* »

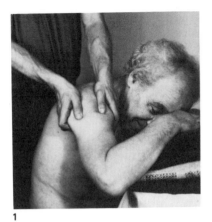

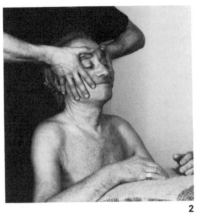

1

2

3

Massage des personnes âgées
(ici, en position assise).

1 : pression-pétrissage du deltoïde.
2 : détente du visage ; étirement en
arrière du front et des joues.
3 : massage de la voûte plantaire.

La technique du massage chez les sujets âgés n'est pas fondamentalement différente de celle que j'ai exposée dans ce livre.

Donc, ne craignez rien ; gratifiez vos aînés de ce plaisir et de ce bien-être, montrez-vous seulement plus délicat dans vos manœuvres. De si respectables os sont sans doute plus sensibles. De même les pétrissages se feront plus superficiels, notamment sur le membre inférieur souvent fragilisé par une mauvaise circulation sanguine. On s'abstiendra chez les hypertendus notables.

Aidez du geste et de la parole, soyez patient, attentif, écoutez... et le massage que vous pratiquerez, fût-il très court, s'inscrira comme un moment privilégié.

Le massage qui n'est jamais un luxe, l'est d'autant moins qu'il concerne les personnes âgées, parce que avec les années... alors que l'on hésite un peu plus à bouger et à faire de l'exercice, les douleurs et les raideurs articulaires s'installent et la circulation sanguine devient déficiente. Ces maux, parmi les plus courants, accueillent avec bonheur les effets du massage.

Le massage du pied, c'est le minimum ! Celui des jambes tout entières, du dos, des mains, du visage... apporte un (ré)confort, un bien-être immédiats. Et le massage californien... le summum !

Enfin, en dehors des problèmes purement physiologiques, l'aspect psychologique de votre massage, de votre toucher, l'écoute, l'affection, la tendresse que vous apporterez, auront des conséquences inestimables, autant sur le sentiment de solitude, la crainte de la mort, que sur le besoin inavoué d'être touché.

Enfin je vous dirai encore un mot pour vous encourager à pratiquer avec les personnes âgées. Elles sont la plupart du temps si merveilleusement réceptives et sensibles au massage dont elles ressentent tout de suite les bienfaits, qu'elles sont impatientes de vous le dire. Toujours un petit mot de remerciement, un compliment par-ci, un petit geste par-là. Vous serez vite étonné de l'attention toute particulière et des soins qu'elles portent à leur corps, de l'écoute qu'elles prêtent aux quelques exercices et aux conseils de santé et d'hygiène de vie que vous leur aurez donnés.

Leurs propos, leurs réactions vous feront peut-être parfois sourire. C'est sans doute leur manière simple, timide, pudique, de vous faire comprendre que vous leur apportez quelque chose d'une importance touchante.

CHAPITRE XIV

Techniques diverses de massage

1. Le massage minute

Vous ne disposez pas de beaucoup de temps ; les conditions ne sont pas très favorables pour s'installer en vue d'une séance complète... C'est l'occasion de faire connaissance avec le « massage minute » qui, à l'inverse des soupes du même nom, ne vous coupera pas l'appétit ! Bien au contraire, je suis persuadé que le massage minute constitue un avant-goût des bienfaits du massage.

Par cette manœuvre simple, vous allez aider quelqu'un à relâcher ses épaules et sa nuque et à obtenir rapidement une sensation d'apaisement. Les mains se posent sur le haut du trapèze et vont descendre en gardant bien le contact le long des épaules (bord supérieur du trapèze), puis des bras, des mains et jusqu'au bout des doigts.

Pour bien exécuter cette manœuvre, laissez votre propre corps descendre verticalement (pliez alors vos genoux) et ce, au fur et à mesure que vos mains descendent symétriquement le long des bras du massé. Pour une totale efficacité, allez jusqu'au bout des doigts en les empoignant bien. Vous pouvez faire cette manœuvre très lentement ou, après avoir accordé vos respirations, sur le temps d'une expiration.

Renouvelez cet exercice 3 à 5 fois de suite, dosez votre pression en fonction de la personne, mais rappelez-vous que ce n'est ni une caresse ni un pincement, mais une pression glissée, bien soutenue, à pleine main. Quand vous maîtriserez bien ce geste, vous pourrez associer à ce mouvement de déplacement centrifuge, des pressions de vos mains, perpendiculaires à l'axe des bras. La résultante de ces mouvements combinés (l'un

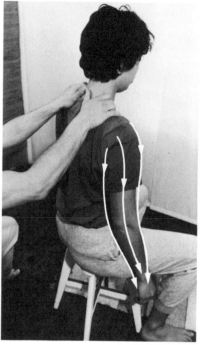

de pression, l'autre de glissement) donne une « vibration-secousse » des bras et des épaules, favorable à un grand relâchement des tensions de cette partie du corps.

Le massage minute.
Descendez le long des bras, comme indiqué.

2. La manœuvre de la serviette

La tête (et non le cou) repose sur une serviette assez longue, bien pliée en deux ou quatre épaisseurs. Soulevez de quelques centimètres et attendez que la tête s'abandonne, lourde, dans la serviette. Un bras monte et tire lentement vers le haut la serviette dans l'axe ; l'autre bras se contente de suivre le mouvement. La tête roule doucement dans la serviette. Gardez les bras parallèles (comme les deux axes d'une poulie) et la serviette bien en contact avec les joues de la personne. Le mouvement se fait lentement, délicatement et progressivement jusqu'au bout, aussi loin que vous pouvez aller. Alternez dans un sens puis dans l'autre.

Variante : utilisez ce même principe pour d'autres parties du corps (jambes et bras, par exemple).

Manœuvre de la serviette.

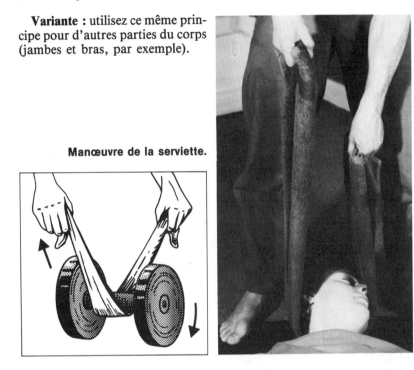

Cette manœuvre très agréable procure une grande détente du cou (elle peut être utilisée seule ou lors d'une séance de relaxinésie, ou associée à un massage de la nuque, de la tête).

3. Le rouleau chaud

Voici un moyen simple et pratique de conserver la chaleur et de l'appliquer sur l'endroit désiré.

Prenez 3 ou 4 serviettes de toilette en tissu éponge et enroulez-les soigneusement l'une dans l'autre, très serrées. Faites bouillir de l'eau et, avec précaution, faites-en couler au centre du rouleau éponge dont les épaisseurs superposées vont être envahies par l'eau et sa vapeur. Et voici un rouleau chaud, très chaud même, dont vous ferez le meilleur usage :

— Comme cataplasme : en le posant délicatement sur l'endroit que vous désirez soulager et chauffer : muscles contracturés, douloureux (trapèzes, dorsaux, lombaires), haut du dos et poitrine (coup de froid).

— Comme excitant réflexe : tamponnez (manœuvre du « tampon-buvard ») le sacrum pour les problèmes circulatoires et gynécologiques (règles douloureuses, aménorrhée) et les sciatiques.

— Pour les problèmes digestifs, foie et vésicule (sauf si calcul biliaire), après avoir tamponné le sacrum, réchauffez la zone foie et vésicule (p. 72) avec ce rouleau chaud.

En desserrant progressivement les serviettes, vous conserverez ainsi une bonne chaleur pendant un assez long moment.

Le rouleau chaud.   Une manœuvre qui décoiffe !

4. Une manœuvre qui décoiffe !

Massage du cuir chevelu à deux, par pressions dosées par le poids des corps. Frottez, roulez, pressez sur toutes les parties du cuir chevelu... c'est super !

5. Une manœuvre qui réveille

Le tapotement (frappes rapides et alternatives des deux mains) sur toutes les parties musculaires du corps peut être utilisé lors du massage. Cette manœuvre, vous l'avez compris, a un effet stimulant ; elle tonifie le muscle et le prépare à se contracter rapidement, active la circulation sanguine et réveille l'excitabilité nerveuse.

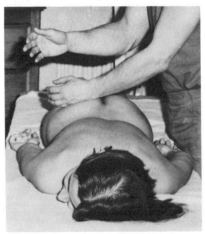

Le tapotement se fait avec le bord cubital de la main (côté petit doigt). Le geste est rapide, le poignet reste souple et détendu.

Cette manœuvre ne doit en aucun cas être douloureuse ; entraînez vos poignets en frappant dans l'air ou sur une couverture.

Si vous associez à ces tapotements des pétrissages et frictions rapides, qui plus est aux huiles essentielles dotées de propriétés tonifiantes (menthe, romarin, sarriette, thym...), vous obtenez un massage franchement stimulant. Alors, amis sportifs... à vous de jouer !

6. Le massage à quatre mains

Deux « masseurs » jouent la même partition sur le même clavier. Manœuvre et esprit du massage essentiel (californien)... mais à quatre mains se déplaçant sur toute la surface du corps avec, en toute simpli-

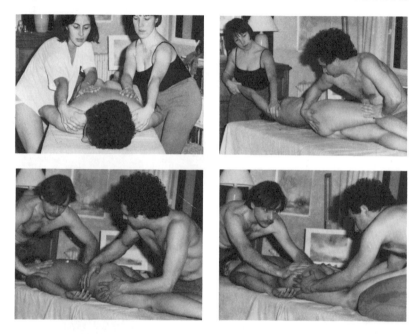

cité, complicité des mains dans le rythme, les gestes et dans la créativité...
pour le plus grand plaisir du massé.

7. Le massage « mille-pattes »

Entre amis, en chaîne, c'est amusant ! Le pied est la seule partie du
corps que l'on peut confortablement se masser à deux et simultanément.

8. Autres idées

On peut masser en utilisant un ballon, un rouleau à pâtisserie, un
jet d'eau ou... à vous de trouver !

Le massage « mille-pattes ».
Ici, lors d'un stage de danse et de
massage.

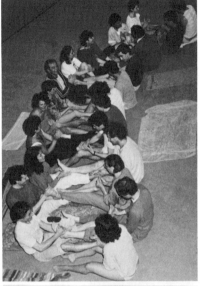

Avec un ballon, un rouleau à pâtisserie.

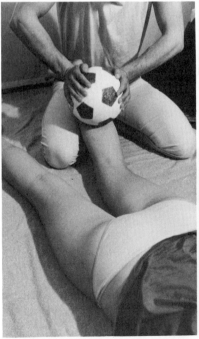
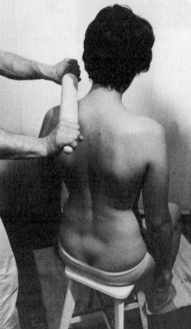

9. Le massage convivial

Pourquoi un paragraphe sur le massage en groupe, alors que dans cet ouvrage, j'ai surtout insisté sur l'attention particulière, la complicité, l'intimité, sur une certaine atmosphère de laquelle on retire un bien-être optimal ? Dès lors qu'on est si bien à deux, d'autres présences, d'autres mouvements, d'autres énergies ne seraient-elles pas contraires ? Non, car le massage en groupe c'est autre chose...

Certaines valeurs du massage se conjuguent très bien au pluriel. Participer au groupe devient dans certains cas, et pour certains individus, un élément super-dynamisant. Il ne s'agit nullement de compétition entre les membres du groupe, mais d'ambiance, d'atmosphère aussi bien sûr, mais différente ; somme toute, il se crée une **osmose** entre les participants. Et dans cet « ensemble », chacun œuvre avec son partenaire et participe à l'œuvre commune : le groupe.

« C'est comme un courant qui passe entre nous »... *« C'est très stimulant »*... sont les réflexions habituelles de mes stagiaires à l'issue des séances de massage en groupe. On peut donc en retenir que chacun y trouve « sa » raison de le pratiquer, peut-être pour choisir son partenaire ou pour pouvoir en changer, ou pour découvrir des sensations autres et aussi d'autres énergies. Puisque tout me permet de penser que vous allez, à votre tour, vous adonner au massage, je vous suggère de prendre l'initiative de « rencontres autour du massage » lorsque vous aurez déjà un peu pratiqué et donc acquis une certaine expérience.

Massage des membres inférieurs lors d'un atelier de massage.

Exercice de massage collectif, dit « la Tournante », pratiqué en stage.

Aucun impératif, aucun interdit quant aux lieu, moment, fréquence : dans votre maison de campagne ou sous les toits dans votre pigeonnier (assez vaste quand même !), près de la cheminée, sur la moquette, sur la terrasse... le matin au moment du jogging, l'après-midi à la place de la sieste, ou encore en soirée tout comme on se retrouve pour « taper le carton » ou pour faire une « petite bouffe ». Peu importe en vérité, l'un n'empêche d'ailleurs pas l'autre et peut en être complémentaire.

Un peu de musique, une température agréable aideront à créer le lieu idéal et la « bonne ambiance » qui fait tant défaut.

*
* *

Si, comme je le souhaite, votre essai est concluant, et si, à votre tour, vous avez reçu le massage et déjà massé, ne vous arrêtez pas là. Répandez et faites multiplier autour de vous ce genre d'activité bienfaisante, afin que le massage devienne vraiment quotidien.

L'auteur de cet ouvrage anime tout au long de l'année des stages, séminaires et ateliers à Paris et en province (également, séances individuelles de massage).

Pour tout renseignement, écrire à :

Joël SAVATOFSKI
151, rue de la Roquette
75011 PARIS

Joindre enveloppe timbrée à votre adresse pour la réponse.

Table des matières

Deuxième partie :

LE MASSAGE DES DIFFÉRENTES PARTIES DU CORPS

La composition et l'impression
de cet ouvrage ont été réalisées
par l'Imprimerie CLERC
18200 SAINT-AMAND - Tél. : 48-96-41-50
pour le compte des ÉDITIONS DANGLES
18, rue Lavoisier - 45800 ST-JEAN-DE-BRAYE

Dépôt légal Éditeur n° 1369 - Imprimeur n° 3735

Achevé d'imprimer en Janvier 1988